Ghostgirl

Tonya Hurley

Ghostgirl

Traduit de l'anglais (États-Unis)
par Myriam Borel

PLON
JEUNESSE

Titre original
Ghostgirl

Citation de Sylvia Browne imprimée avec son autorisation.
Paroles de « Seasons in the Sun », interprétées par Terry Jacks © 1974 Bell.
Paroles de « Language is a Virus from Outer Space » de Laurie Anderson © 1985
Difficult Music. Imprimées avec autorisation. Tous autres droits réservés.

© Tonya Hurley, 2008
© Illustrations in texte : Craig Phillips, 2008
© Plon, 2008
ISBN Plon : 978-2-259-20884-0
Little, Brown and Company, New York
ISBN-13 : 978-0-316-11357-1, ISBN-10 : 0-316-11357-3
Hachette Book Group USA, 237 Park Avenue, New York, NY10017

À Isabelle et Oscar.

1

Déjà eu l'impression d'être invisible ?

*S'il est au monde quelque chose
de plus fâcheux que d'être quelqu'un dont on parle,
c'est assurément d'être quelqu'un dont on ne parle pas.*

Oscar Wilde.

On croit toujours que ça ne peut pas arriver.

On pense à la façon dont ça pourrait se passer. On tourne et retourne cette idée dans sa tête, en changeant légèrement le scénario chaque fois, mais au fond, on ne peut se résoudre à croire que ce sera pour de vrai, un jour. Ça n'arrive qu'aux autres, jamais à soi.

Charlotte Usher traversait le parking d'un air décidé jusqu'aux portes du lycée des Aubépines, se répétant en boucle cette phrase pour se donner du courage : «Ce sera différent cette fois. C'est MON année.» Avant, dans ses souvenirs de collège, elle n'était qu'une ombre, une chaise occupée dans la salle de cours, uniquement pour meubler. L'air qu'elle respirait aurait pu être employé à un meilleur usage. Mais cette année commencerait d'un bon pied, cette fois; un pied chaussé des pompes les plus d'enfer (et les plus inconfortables) qu'on puisse se payer.

Elle avait perdu toute une année déjà à se sentir rejetée, tel le vilain petit canard du lycée. Hors de question que ça recommence. Ce premier jour d'école, cette année, marquerait le début de sa toute nouvelle vie.

En grimpant les marches de l'escalier, elle vit crépiter les appareils photo qui enregistraient les élèves pour l'annuaire du lycée. Plus loin, Pétula Kensington et sa bande s'éloignaient avec leur air crâneur dans le couloir. Telle une lame de fond, leur entrée provoquerait toujours un grand trouble, sonnant l'ouverture officielle de l'année scolaire. Charlotte, elle, était toute seule. En retard. Comme d'habitude. Jusqu'à ce jour.

Le gardien chargé de fermer le portail jeta un coup d'œil dehors, tournant la tête de droite et de gauche pour voir s'il venait quelqu'un. Personne. Enfin, si, mais comme d'habitude, son regard avait glissé sur Charlotte. Celle-ci pressa le pas tandis qu'il tirait la grille de métal, lourde comme la porte blindée de la salle des coffres d'une banque. Cette fois, Charlotte n'allait pas se laisser démonter. Elle arriva juste à temps pour l'empêcher de se refermer en glissant l'une de ses nouvelles chaussures dans l'intervalle.

– Désolé, j't'avais pas vue, marmonna le gardien avec indifférence.

Qu'on ne la voie pas, ça, c'était pas nouveau. Mais il avait reconnu son erreur, elle avait eu droit à des excuses ! Son plan (une liste très précise de choses à faire, pour parvenir à mettre la main sur Damen Dylan, l'objet de son désir) avait l'air de fonctionner !

Comme beaucoup de jeunes de son âge, Charlotte avait travaillé, cet été-là. Mais, au contraire de la plupart des lycéens, qui avaient trouvé un emploi de serveur, femme de ménage ou secrétaire, c'était pour son propre compte qu'elle avait bossé. Et bossé dur.

Absorbée dans l'annuaire de l'année passée, comme si sa vie en dépendait, elle avait passé des heures à étudier Pétula, la fille la plus en vue du lycée, et ses deux lèche-culs de meilleures copines, Wendy Anderson et Wendy Thomas. Elle les avait examinées dans les moindres détails, à la façon dont les fans contemplent leurs idoles. Tout devait être parfait. Comme elles.

Confiante, elle s'approcha de sa première étape sur sa liste : le panneau d'inscription aux épreuves de sélection

des pom-pom girls. Devant lui se pressait une rangée de filles qui avaient campé là toute la nuit pour pouvoir s'inscrire. On aurait dit qu'elles s'apprêtaient à passer un casting pour un rôle de figuration dans un film avec Brad Pitt. Le «club» de filles le plus branché et le plus fermé de tous. Son ticket gagnant pour une vie nouvelle, où elle ne serait pas seulement remarquée, mais enviée. Charlotte s'empara du stylo qui pendait, attaché au panneau par une cordelette effilochée et rafistolée avec un bout de Scotch, pour apposer son nom sur la dernière ligne.

Mais, comme elle écrivait la première lettre de son prénom, quelqu'un lui donna une bourrade. Charlotte se retourna pour voir qui avait interrompu sa première mission de la journée – non, de sa nouvelle vie.

La fille qui lui avait donné un coup sur l'épaule la toisa et, attrapant le stylo, inscrivit son nom à elle sur la liste, rayant le sien. Puis elle écarta les doigts avec mépris : le stylo retomba au bout de sa ficelle.

Charlotte le regarda se balancer contre le mur, tel un pendu.

Elle entendit le groupe de pom-pom girls en herbe glousser tandis qu'elle s'éloignait. Charlotte était souvent l'objet de ce type de cruautés – on lui riait au nez ou dans son dos ; chaque fois, elle essayait de ne pas y prêter attention. Même dans sa phase de changement radical, elle n'avait pas encore la peau assez dure pour encaisser sans broncher. Charlotte chassa ses idées noires. Hors de question de perdre la face le premier jour de sa nouvelle vie. Elle consulta son programme. «Attribution des casiers», murmura-t-elle en se dirigeant vers sa nouvelle destination.

En chemin, elle repensa à l'été qui venait de s'écouler et aux changements qui s'étaient opérés en elle. En toute honnêteté, ses efforts pour attirer l'attention de Damen

étaient un peu ridicules. Voire excessifs. Elle n'était pas passée sur le billard pour se faire refaire le nez, ni les lèvres, ni quoi que ce soit dans ce goût-là, mais bon... Changer de coupe de cheveux, entamer un régime, renouveler sa garde-robe, tous ces soins du visage, ces effets de coiffure... Ça l'avait bien occupée toutes les vacances. Après tout, c'était un pari sur elle-même. En faire des tonnes pour s'améliorer, était-ce un mal?

Évidemment, c'était superficiel. Et alors? Si elle avait compris quelque chose dans sa vie, c'était bien ça : tout ce baratin sur la «beauté intérieure» qu'on vous sert à l'adolescence?, un beau tas de conneries. Point. La beauté intérieure, ce n'est pas ce qui fait qu'on vous invite à des super fêtes avec des gens cool. Et ce n'est certainement pas ce qui vous permet d'aller au bal de l'Automne avec Damen Dylan.

Damen Dylan... Son horizon, son rêve le plus dingue. Elle s'était fixé des étapes intermédiaires, comme cette fameuse soirée, pour se motiver. La vie se résume bien à une série de choix, non? Charlotte avait arrêté les siens.

Pourquoi ces changements dans son apparence? Une stratégie. D'après elle, il n'y avait que deux moyens d'approcher Damen. Premièrement : passer par Pétula et sa bande. Mais, étant donné la réputation de Charlotte, ou plutôt son absence totale, ses chances demeuraient minces. Ces filles-là avaient toujours eu beaucoup de succès. Elles en auraient toujours. En fait, pour cela, il fallait se montrer inaccessible. Le succès ne se gagne pas à force de travail. On en a ou pas, un point c'est tout. Mais qui, et au nom de quoi? Pour Charlotte, cela restait un mystère.

C'était là que son plan prenait un tour plus subtil : si elle parvenait à *ressembler* suffisamment à Pétula et aux deux Wendy, à *agir*, à *penser* comme elles, à se mêler aux gens avec lesquels traînait Damen, elle aurait peut-être sa chance.

Le deuxième moyen d'accéder à Damen ? Le meilleur. Son préféré. Se passer complètement des filles, foncer droit sur lui. Risqué, bien sûr, vu qu'elle n'avait pas vraiment l'habitude de la drague. Son changement radical avait peut-être été la première étape, mais la suivante serait déterminante. Elle s'était inscrite à certains des cours qu'il suivait, et elle avait prévu de traîner près de son casier. Donc : trouver ce casier, maintenant.

Comme les autres, Damen ne lui avait jamais prêté la moindre attention. Ce n'était pas un peu de maquillage qui allait changer la donne. Pourtant, Charlotte gardait espoir, convaincue que si elle parvenait à passer un moment sympa avec lui, ça marcherait, maintenant qu'elle avait amélioré son apparence extérieure.

Ce n'était pas simplement un rêve ; plutôt une conclusion qu'elle avait tirée après avoir longuement et minutieusement observé Damen. Sur les centaines de photos qu'elle avait prises de lui en secret durant toutes ces années, Charlotte pensait avoir décelé... disons... un certain respect. Dans ses yeux, dans son sourire.

Damen était mignon, athlétique ; il se comportait exactement comme on pouvait s'y attendre de la part des mecs vraiment beaux : il affichait un air un peu supérieur. Mais il y avait aussi de la gentillesse chez lui. C'était précisément cette qualité que Pétula aimait le moins. Peut-être parce qu'elle et ses amies en étaient carrément dépourvues.

Le rire des candidates aux sélections des pom-pom girls résonnait toujours aux oreilles de Charlotte tandis qu'elle se dirigeait vers le gymnase. Il lui fallait un petit coup de pouce du destin. Les attributions des casiers étaient affichées sur la porte à double battant. Elle parcourut du bout du doigt la liste alphabétique des élèves, en particulier la page des P-Z.

Les noms lui étaient familiers. Des gamins avec lesquels elle avait grandi, qu'elle connaissait depuis la maternelle, le

primaire et les premières années de collège. Leurs visages lui revenaient en mémoire, comme autant de diapositives. Enfin, elle lut :

USHER, Charles, casier n° 7

– Le sept, ça porte bonheur! s'exclama-t-elle, considérant que c'était de bon augure.

Elle fouilla dans son sac, trouva d'abord un crayon à papier, puis en extirpa un stylo. Alors Charlotte corrigea son prénom à l'encre sur le papier. Il fallait que tout colle. En particulier aujourd'hui.

Le casier de Damen se situait de l'autre côté du bâtiment. «Pas grave», se rassura-t-elle tant bien que mal tandis qu'elle se mettait en route pour le trouver.

Absorbée dans ses pensées, elle emprunta la passerelle encombrée de fumeurs qui tiraient leurs dernières taffes avant d'entrer en cours. Un nuage de monoxyde de carbone flottait, dense et piquant. Sa gorge commençait à la piquer ; elle pressa le pas. Les conversations s'arrêtèrent à son passage. Certains jetèrent leur mégot dans le fond de leur gobelet de café en polystyrène, d'autres sur le béton. La fumée s'enroulait en volutes autour d'elle.

Comme elle sortait de ce brouillard de fumée et qu'elle approchait des portes, à l'autre bout de la passerelle, Charlotte aperçut un groupe d'élèves qui s'amassaient dans le couloir. On aurait dit une bande de furieux se bousculant devant l'entrée des artistes, après un concert, pour une chasse à l'autographe.

– Damen! s'écria-t-elle, admirative.

Par-dessus les têtes, elle ne voyait de lui que sa magnifique chevelure. SES cheveux. Pas de mèches débiles, ni de laque, ni de gel, pas de cire coiffante ni de produit visqueux pour donner du volume, rien de tous ces effets ridicules recherchés

par tous ces métrosexuels, ces jeunes garçons efféminés qui fleurissaient dans les pages des magazines. Non. Lui, il avait de belles boucles ondulées. Magnifiques dans leur simplicité même. Les yeux rivés sur ce trésor, Charlotte se précipita vers son casier, s'arrêtant tous les dix pas pour reprendre son souffle. Elle arriva juste avant la foule d'admirateurs qui s'écartait pour laisser passer Damen.

Cela faisait longtemps qu'elle ne s'était pas retrouvée si près de lui. Lui, en personne ! L'émotion lui serra le cœur. Elle l'avait admiré tout l'été en photo ; mais là, c'était lui, en vrai !

Charlotte était littéralement éblouie.

Il approchait. La foule se resserrait autour de lui. Déjà elle ne le voyait plus, avalée dans le tourbillon dont il était le centre. Elle eut beau lutter pour se rapprocher, impossible : la force du remous était trop grande. Et, en ce premier jour de sa nouvelle vie, Charlotte se retrouva à l'extérieur du cercle, dressée sur la pointe des pieds. Une position qui ne lui était que trop familière.

2

Crever d'envie d'être populaire

J'étais unique aux yeux du monde,
mais je ne rêvais que d'une chose :
être unique aux yeux d'une seule personne.

gg.

S'il est écrit que ça doit se passer comme ça, il en sera ainsi.

Se dire «c'était écrit» rassure un peu en cas de malheur. Cela peut aussi ôter tout pouvoir de décision, toute responsabilité. Pratique. Et si tout va bien, inutile de faire des efforts : c'était écrit que ça se passerait ainsi, qu'on intervienne ou non dans le cours des événements. Charlotte ne savait pas si elle croyait plus au destin ou en elle-même.

a cloche sonna le début des cours, et la foule autour de Damen se dispersa. La rumeur qui grondait dans le couloir se dissipa peu à peu ; les élèves se dirigeaient vers leurs salles de classe. On n'entendait plus que les portes métalliques des casiers qui se fermaient et l'orchestre du lycée qui entonnait un air ridicule, un vague arrangement du morceau des Cure, *Why can't I be you ?*

Malgré les échecs successifs de ce début de matinée, Charlotte s'efforça de ne pas se laisser abattre. Après tout, elle allait en physique, avec M. Machin. Et Damen. Bon, et Pétula, aussi. Mais les heures de physique lui donneraient l'occasion parfaite d'en apprendre un peu plus sur les mœurs sauvages des filles populaires comme Pétula ou les deux Wendy. Alors, elle pourrait se lancer dans la chasse, et mettre la main sur Damen.

Charlotte se faufila dans la salle de classe et jeta un coup d'œil aux élèves qui se précipitaient à leurs places préférées, balançant leurs cartables sur les tables, jouant avec les fermetures à glissière de leurs sacs à la recherche de leurs cahiers, trousses et calculettes. On voyait bien que c'était la rentrée ; tout le monde avait l'air tellement... prêt, sinon tout à fait heureux d'être là.

Les deux seules places libres se trouvaient au fond, derrière Pétula et les Wendy. L'une d'elles était sans doute réservée à Damen. Super ! Elle passerait toutes les heures de physique de l'année à quelques centimètres du gratin du lycée ! Impossible de trouver mieux, comme emplacement. Mais, comme Charlotte se dirigeait dans l'allée, entre les tables à carreaux de céramique, elle sentit qu'elle n'était pas vraiment la bienvenue dans les parages.

Pas de mains qui se dressaient pour taper dans la sienne à son passage, ni de «alors, ces vacances ?». Personne pour reconnaître tout le boulot qu'elle avait effectué sur elle-même, ni le moindre signe de politesse, d'ailleurs. Rien. Que dalle. Juste un regard mauvais de la part des Wendy et une mine dégoûtée de Pétula quand elle s'installa à la place laissée libre derrière elles. Comme si elle avait lâché un pet.

Charlotte s'assit et balaya d'un regard prétendument indifférent l'ensemble de la classe, en comptant les têtes des élèves. Pas de Damen ! Peut-être qu'il n'était pas dans ce cours, après tout ? Non, impossible. Du moins, c'est ce qu'elle avait conclu lorsqu'elle avait décacheté son enveloppe d'inscription à la vapeur. Se procurer ce précieux renseignement avait été l'unique objet de son stage au secrétariat du proviseur, cet été. Elle fut prise d'une légère nausée.

On pouvait lire «PHÉNOMÈNES ÉLECTROSTATIQUES ET MAGNÉTISME» sur le tableau noir, en majuscules énormes, juste au-dessus de la mèche pitoyablement rabattue sur la calvitie grandissante de M. Machin, qui commençait à sérieusement décrépir, le pauvre. Le dos voûté, il portait son

éternel tee-shirt, «La Physique, c'est Phantastique». Comme
à chaque début d'année.

– Bonjour à tous. Je suis monsieur Machin, dit-il en
bondissant sur ses pieds à l'appel de la cloche.

Son comportement avait changé du tout au tout : en un
clin d'œil, il était passé du savant fou sur le déclin à l'animateur de jeu télévisé complètement électrique. Son nom ne
manquait jamais de déclencher des ricanements ; il n'y eut pas
d'exception cette année. Mais les gloussements s'éteignirent
aussitôt. Des regards s'échangèrent tandis que les fronts se
baissaient. On avait entendu la rumeur, mais personne ne
l'avait vu de si près jusqu'alors.

Ce n'était pas évident tout de suite. M. Machin continuait son discours de présentation, tandis que son regard se
promenait dans la salle sans qu'il bouge la tête. En fait, il
donnait l'impression de fixer tous les élèves à la fois. Super
outil, se dit Charlotte. Sauf qu'il ne s'agissait pas d'un outil,
mais d'un œil de verre.

– Je suppose que vous possédez tous de bonnes bases en
biologie, chimie et sciences… sinon vous ne seriez pas là,
n'est-ce pas ? pouffa-t-il. Bien. Notre premier sujet d'étude
cette année sera…» Il fit alors un tour sur lui-même, dans un
mouvement étonnamment souple, et désigna de sa paume
tendue au-dessus de sa tête les inscriptions au tableau.
«… phénomènes électrostatiques et magnétisme. Les lois
de l'attraction. LE truc qui vous intéresse tous, pas vrai ?
poursuivit-il avec son curieux accent qui roulait les «r».

Charlotte dut se retenir de lever le bras pour manifester
son approbation.

– Et comme la meilleure façon d'apprendre passe, selon
moi, par l'expérience… notre première tâche consistera à
choisir des partenaires de laboratoire. Tout le monde debout !
Mettez-vous par deux !

Les élèves se tournèrent les uns vers les autres, désignant leurs amis à travers la salle. Certains poussaient des grands cris, sautillaient sur place comme s'ils venaient de gagner la finale d'*American Idol*[1]. Les deux Wendy formaient déjà un duo, Pétula choisirait certainement Damen. Mais elle ne semblait pas prête à l'attendre très longtemps. Après quelques secondes seulement, elle saisit la manche de la Wendy la plus proche pour l'attirer à ses côtés, ne voulant pas se retrouver avec un boulet.

L'autre Wendy mit alors immédiatement le grappin sur sa copine la plus proche, en un éclair de seconde, tandis que les autres élèves choisissaient leur partenaire. Charlotte demeura toute seule, debout au milieu de la salle. L'absence de Damen l'avait tellement troublée qu'elle n'avait pas réellement prêté attention à la scène qui se déroulait devant elle. Mais cette nouvelle humiliation ranima le souvenir de toute sa scolarité.

Comment peut-on se sentir si seule au milieu d'une pièce emplie de monde ? se demanda-t-elle, sentant que ses oreilles commençaient à chauffer.

Machin parcourut la classe du regard, priant intérieurement pour Charlotte.

– Allez, vous autres… Elle a l'air tout à fait… capable.

Charlotte s'attendait à ce qu'il entre soudain dans une colère noire, mais, Dieu merci, il n'en fit rien.

– Alors, personne ne veut se mettre avec…, fit Machin en la désignant du doigt, se creusant la cervelle pour retrouver son nom – en vain. Avec, heu… elle ?

Avant même qu'il ait pu prononcer ces dernières paroles, tous les élèves avaient choisi leur partenaire. La musique de l'orchestre du lycée, dans la cour, semblait plus forte

1. L'émission de télévision qui équivaut à *La Nouvelle Star* aux États-Unis. (*N.D.T.*)

aux oreilles de Charlotte. Et les gloussements qu'elle avait laissés derrière elle, au panneau d'inscription des épreuves de sélection des pom-pom girls, lui revinrent alors plus violemment en mémoire.

À l'instant précis où la honte ne pouvait être plus écrasante, la porte s'ouvrit en grand.

– Désolé pour le retard, dit Damen à M. Machin.

Il était là! Les nuages se dissipèrent; déjà le soleil brillait.

– Ah! Justement celui qui nous manquait, répondit Machin, sachant très bien qu'être désigné partenaire de Charlotte suffirait à le punir pour son manque de ponctualité. C'est avec cette demoiselle que vous travaillerez ce semestre.

– J'ai un mot! supplia Damen, les yeux écarquillés.

Charlotte était déjà folle de joie d'être avec lui en cours, mais qu'il soit son partenaire de laboratoire! Était-elle en train de rêver? Étourdie de bonheur, elle parvint cependant à garder une certaine contenance, tandis que Damen, résigné, gagnait sa place près d'elle.

M. Machin s'avança dans l'allée pour parler à Damen, mais, à cause de son œil de verre, Charlotte crut que c'était à elle qu'il parlait. N'étant sûrs ni l'un ni l'autre, et ne voulant pas commettre d'impair, ils l'écoutèrent tous les deux.

– Vous devriez tirer profit de cette association. Pour moi, ça ressemble beaucoup à un coup du destin, dit-il en clignant de son œil valide.

Charlotte se sentait légère comme une plume, totalement d'accord avec lui. Damen, quant à lui, paraissait légèrement troublé, et par le propos de Machin et par son œil de verre, qu'il voyait de près pour la première fois. M. Machin se pencha alors sur lui, comme il en avait l'habitude dès qu'il entendait se montrer menaçant.

– Vous savez, jeune homme, cette année, des mesures très strictes ont été prises à l'égard des élèves sportifs. Les règles

ont changé. Vous devrez obtenir la moyenne dans toutes les matières, ou bien vous serez renvoyé de l'équipe.

Charlotte, voyant là une ouverture lui permettant d'avancer ses pions, laissa échapper avec un grand sourire :

– J'adore la physique !

Machin et Damen regardèrent Charlotte, surpris, comme s'ils découvraient une perruche débitant des absurdités dans sa cage. Machin s'éloigna, un sourire légèrement narquois sur les lèvres, tandis qu'il rassemblait ses affaires sur sa paillasse. Damen se retourna vers Charlotte, essayant de rester discret.

– Salut. Euh, euh…, bégaya-t-il, cherchant confusément à se souvenir de son prénom.

– Charlotte, fit-elle pour l'aider.

– T'es bonne en physique, non ?

– Merci, répondit-elle, modeste, en nouant ses mains derrière son dos, les joues rouges.

– Je me demandais…

– Oui ? lâcha-t-elle un peu trop vite, comme s'il allait lui proposer de sortir avec lui dans l'instant.

– Est-ce que tu accepterais, heu, de me donner des cours de soutien, ou… ?

Charlotte n'était pas naïve au point de croire à un élan romantique, ni même à un geste d'amitié. Il avait une bonne raison pour lui demander cela. Mais elle choisit de ne pas en tenir compte et de le prendre de la meilleure façon qui soit. Ce n'était pas une invitation à une fête, mais l'occasion de passer du temps en sa compagnie. Son excitation n'aurait pu être plus grande.

Elle s'efforça de calmer le tremblement de sa voix et reprit le contrôle de ses genoux, qui avaient commencé à trembler depuis que Damen avait franchi le seuil de la classe. Elle se la joua tranquille quelques secondes, le temps de le faire mariner

un peu. Son rêve devenait réalité. Non pas exactement comme elle l'avait imaginé, mais bien réel tout de même. Un coup du destin, ainsi que l'avait dit Machin.

Elle s'apprêtait à lui donner son accord quand Pétula, flanquée d'une Wendy de chaque côté, s'approcha de Damen.

– T'étais où ?

– Ton temps est écoulé, fit Wendy Anderson à Charlotte, narquoise, pour l'exclure de la conversation.

Charlotte s'attarda néanmoins, se fourrant une poignée d'oursons en gélatine dans la bouche tandis qu'elle rangeait son ordinateur portable et ses livres sur le bureau. Elle avait décidé de se donner l'air de traîner avec le groupe en attendant d'échanger encore quelques mots avec Damen.

– J'ai carrément flippééééééé de pas te voir, susurra Pétula.

L'idée que Pétula puisse s'inquiéter du sort de quelqu'un d'autre – fût-ce Damen – était si ridicule que les deux Wendy elles-mêmes détournèrent la tête pour ne pas exploser de rire devant elle.

– Ouais, pas au point de m'attendre, en tout cas…, répondit Damen, sarcastique, en jetant un coup d'œil appuyé vers Charlotte.

Il savait très bien, en effet, que Pétula s'inquiétait beaucoup plus d'être coincée toute l'année en physique avec un boulet que de savoir ce qui l'avait retenu.

– Tu croyais quand même pas que j'allais poireauter des plombes ? répondit égoïstement Pétula.

Ces paroles surprirent Charlotte. Elle l'aurait attendu une éternité, s'il l'avait fallu.

– Des plombes ? Je t'ai dit que je serais peut-être un petit peu en retard.

– Ah bon ? Je n'ai pas reçu ton texto, rétorqua Pétula, qui n'écoutait déjà plus qu'à moitié.

– Comment tu sais que c'était un texto, alors ? fit Damen en secouant la tête.

Pétula hésita un instant, essayant de gagner du temps pour trouver une excuse plausible.

– C'est que… Mon téléphone était au fond de mon sac, et mon sac est…

– Juste là, fit une voix moqueuse dans l'entrebâillement de la porte.

Pétula se retourna en direction de cette voix qu'elle aurait préféré ne pas entendre. Une fille était là, à l'entrée de la classe, tenant son sac au bout des doigts comme s'il était radioactif. Pétula, levant les yeux au ciel, se dirigea vers la porte.

– Je t'ai pas déjà demandé de ne JAMAIS toucher à mes affaires ? souffla Pétula avec agacement.

– Tu l'as laissé dans la voiture de papa. Pour rien au monde je ne voudrais que tu te sentes frustrée textuellement ! dit la fille en lui tendant son cartable, un sac hors de prix dessiné par un créateur. Je sais aussi combien c'est dur pour toi de passer une journée sans ton gloss repulpeur de lèvres !

– Je n'ai pas de repulpeur de lèvres !

Charlotte était aussi choquée par l'arrogance de la fille que par son look gothico-comique, avec son tee-shirt Plasmatics noir et rose qui dépassait d'un long pull en V, et sa bague énorme en plastique rose qui soulignait son majeur, celui de ses doigts dont elle devait manifestement faire le plus grand usage. Elle portait aussi une minijupe noire à paillettes, des résilles rouges et des bottes à clous d'argent ; ses lèvres étaient peintes en rouge vif. Elle la reconnut aussitôt : c'était Scarlet Kensington. À les voir l'une près de l'autre, comme ça, il était difficile de croire que ces deux filles avaient des gènes en commun.

Pétula arracha son sac des mains de sa sœur avec un mépris affiché, et fouilla à l'intérieur pour s'assurer que rien

ne manquait. Puis, hochant la tête, elle en extirpa un rasoir dont elle se servait d'habitude pour ses jambes soyeuses.

– Tiens, c'est pour toi, lui dit-elle avec une fausse générosité. Un petit geste pour te montrer combien je t'aime. Peut-être que tu pourrais l'utiliser un peu plus tard dans la journée, histoire de soulager tes souffrances?

Les Wendy s'esclaffèrent si fort que Damen secoua la tête, comme pour dire : «Et c'est reparti!»

– La seule façon de me soulager serait de trancher ta jolie petite gorge, reprit Scarlet avec un sourire mielleux. Mais comment ferais-tu, après, pour vomir tout ce que tu manges?

Charlotte n'en revenait pas. Elle laissa échapper un petit sifflement qui passa inaperçu, sauf pour l'intéressée.

– Qu'est-ce que tu regardes comme ça? grogna Scarlet, en lui jetant de derrière sa longue mèche de cheveux teints en noir un regard assassin.

Charlotte se figea, aussitôt intimidée par ces yeux noisette qui la transperçaient comme des dagues empoisonnées. Peut-être le seul point qu'elle avait en commun avec sa sœur.

Avant même que Charlotte n'ait pu prendre un air dégagé, Scarlet fit volte-face et se sauva. Déjà le tintement des chaînes de sa veste en cuir s'éloignait dans les couloirs.

Pétula plongea la main dans son sac, à la recherche de son gloss dont elle se couvrit les lèvres.

– Je crois que je vais changer de robe, pour le bal d'Automne, annonça-t-elle, comme s'il s'agissait de l'info de la plus haute importance. J'ai envie d'un rose plus foncé.

Sans attendre la réaction de Damen, elle porta son poudrier à hauteur de son regard, tournant la tête de trois quarts avec une petite moue irrésistible. Décidant qu'elle se trouvait belle, elle déposa un baiser sur le miroir, y laissant comme à son habitude une trace maquillée parfaitement ourlée.

Charlotte plissa les lèvres pour imiter le baiser laissé sur la glace, imaginant l'espace d'un instant que le dessin laissé par le gloss sur le miroir était celui de sa bouche.

Sam Wolfe, élève dont Pétula et ses amies disaient avec affection qu'il avait un «petit retard à l'allumage», sortit les deux jeunes filles de leurs rêveries respectives en les bousculant, tandis qu'il déplaçait le vidéoprojecteur le long de l'allée. Pétula, qui réfléchissait toujours à la couleur de sa tenue de soirée, referma le poudrier d'un coup sec et se retourna vers Sam sans crier gare.

– Purée, tu peux pas faire attention? T'as de la chance d'être handicapé, toi!

Sam eut un petit sourire gêné, tandis que Damen adressait un regard écœuré à Pétula. Charlotte n'en perdit pas une miette. Elle l'aimait de plus en plus.

– Quoi?», demanda Pétula, sincèrement troublée par ce regard de désapprobation. Alors, se tournant de nouveau vers Sam, avec cette fausse délicatesse qu'elle affichait parfois à l'égard des autres, elle tenta de bafouiller une excuse : «Pardon, je voulais dire… handicapé mental!»

La cloche sonna. Les élèves sortirent en trombe de la salle de classe. Tous, à l'exception des deux Wendy, de Damen et de Pétula, qui prenaient toujours leur temps pour rassembler leurs affaires et se rendre au cours suivant. Charlotte traîna un peu, elle aussi, toujours assise à son bureau, enfournant nerveusement des oursons en gélatine dans sa bouche. Le tour qu'avait pris la conversation de Pétula et Damen l'inquiétait, et elle espérait toujours terminer celle qu'elle avait commencée avec lui tout à l'heure.

Elle vit Pétula lui envoyer un vague baiser de la main comme ils franchissaient tous deux la porte pour gagner leurs salles de cours. Damen s'apprêtait à sortir le premier quand M. Machin l'arrêta.

– N'oubliez pas, monsieur Dylan, le règlement a changé, cette année ! dit-il en refermant sa mallette avant de disparaître dans le couloir.

À ces mots, Damen se souvint de sa conversation avec Charlotte quelques minutes plus tôt. Il jeta un regard nonchalant en arrière et brandit son livre de physique à son attention. Il écarquilla les yeux et haussa les épaules.

– Tu m'aideras ? murmura-t-il dans sa direction, puis il s'enfuit, suivi de près par Pétula et compagnie.

Charlotte engouffra un dernier ourson en gélatine. Comme elle allait s'engager elle aussi dans l'allée centrale et formuler sa réponse, elle avala accidentellement le bonbon, qui vint se loger en travers de sa gorge.

Elle se précipita vers la porte, faisant des gestes désespérés, mais une foule s'était reformée autour de Damen sitôt qu'il avait posé le pied dans le couloir. Il ne la voyait même plus. Charlotte fit son possible pour recracher l'ourson de gélatine pour pouvoir lui crier qu'elle était d'accord, évidemment. C'est alors que Pétula claqua la porte de la salle derrière elle, sous le nez de Charlotte.

Celle-ci n'eut pas le temps de reculer. Le choc eut pour effet d'enfoncer le bonbon plus loin dans sa trachée. Elle essaya vainement de s'appliquer à elle-même la bonne vieille méthode de Heimlich[1], s'agitant dans tous les sens tel un ballon qui se dégonfle. Elle étouffait vraiment maintenant, et la salle était entièrement vide. Personne pour la voir. Personne pour l'aider.

Charlotte posa une main autour de sa gorge et une autre contre la porte vitrée pour se retenir. Incapable de respirer, elle frappa comme une folle contre la vitre pour attirer

---

1. Méthode inventée en 1974 pour désobstruer les voies aériennes encombrées de quelqu'un qui s'étouffe, en comprimant ses poings sur l'estomac de cette personne, de façon à ce que les viscères de celle-ci compriment les poumons et que la surpression déloge l'objet coincé. (N.D.T.)

l'attention de Damen, mais ce dernier crut qu'elle lui faisait juste un signe de la main pour le saluer.

Il lui adressa un petit signe en retour, passa son bras autour de Pétula et se dirigea vers son cours suivant.

Elle colla son nez contre la vitre, incapable de se reprendre, et glissa lentement jusqu'au sol. Elle entendit les étudiants qui riaient, sur le trajet de leur prochain cours, les yeux toujours rivés sur le couple formé par Pétula et Damen qui s'éloignaient.

Elle gardait espoir que quelqu'un la verrait, mais ses doigts se desserrèrent lentement, lentement, laissant une trace molle le long de la vitre, et elle s'écroula de tout son poids sur le sol.

3

Le réveil

Mon tendre amour, si je pars
Ce n'est pas lassé de toi,
Ni dans l'espoir de trouver quelque part
Plus bel amour encore que toi.

John Donne.

Comment savoir?

———◆◆◆◆———

Comment savoir que ce n'était pas un rêve fou, un délire de l'imagination, une illusion née de son propre esprit? Il n'y a pas de répétition générale dans la vie, et encore moins en amour. Ça, Charlotte le savait, désormais.

**es images de Damen tournoyaient**
follement dans l'esprit de Charlotte tandis
qu'elle se réveillait sous le doux bourdonne-
ment des néons fluorescents du plafond de la classe. Elle
ouvrit lentement un œil, puis l'autre, ne pouvant s'empêcher
de remarquer que la lumière blanche était vive, mais qu'elle
ne faisait pas mal aux yeux.

Elle clignota des paupières une fois ou deux, puis trouva
la force de se redresser à demi en s'appuyant sur les coudes.
Elle vit les taches brunes d'humidité et les crachats sur les
plaques de mousse au-dessus de sa tête. Elle avait un peu
la nausée, mais elle mit cette sensation sur le compte de
l'excitation.

– Super! Il me demande de l'aider. Moi! Et je ne trouve
rien de mieux à faire que de tomber dans les pommes!

Toutes ces transformations auxquelles elle avait travaillé
d'arrache-pied ne l'avaient en rien modifiée à l'intérieur.
Qu'est-ce que disait Horace à ce sujet? «Courir au-delà des
mers, c'est changer de climat, mais non changer de cœur»,

ou un truc dans le genre. La triste réalité était qu'un poète latin de plus de deux mille ans en connaissait plus long sur la vie qu'elle... Décevant. Mais pourquoi songer à cela maintenant ?

C'était sûrement dû à son taux de sucre dans le sang ! songea-t-elle en se rappelant qu'elle avait oublié de prendre un petit déjeuner, tellement elle avait le ventre noué à l'idée de revoir Damen ce jour-là.

Charlotte tourna la tête de droite, de gauche, et découvrit qu'elle était totalement seule. Bon, pas très surprenant : elle ne s'attendait pas vraiment à ce que quiconque se lance à sa recherche. Mais, au deuxième regard, elle s'aperçut que ce n'était pas tout à fait vrai. Là ! L'ourson en gélatine, innocemment couché sur le dos, sans vie, qui la regardait, effrayant comme la poupée Tina dans cet épisode de *La Quatrième Dimension*... Il n'était plus de ce beau rouge légèrement opaque, mais transparent au contraire, de cette couleur qu'ils ont quand on commence à les sucer.

Elle considéra le bonbon quelques instants – d'un air un peu suspect –, porta la main à sa gorge et toussa. Il était sur le sol, et pourtant elle le sentait toujours en travers de son larynx.

– Tiens, c'est curieux..., dit Charlotte, perplexe.

Et, comme elle commençait à se souvenir de ce qui s'était passé, elle entendit une annonce dans le haut-parleur. « Charlotte Usher, vous êtes priée de vous rendre immédiatement en salle 1313, s'il vous plaît. »

Elle rassembla ses affaires et sortit dans le couloir désormais vide. Son humeur était plutôt bonne, tout compte fait. S'attendant à se faire chahuter sur le trajet, elle fut presque déçue de constater que personne n'avait prêté attention à l'annonce diffusée dans le haut-parleur. Mais bon, tout le monde était en cours. Elle reprit son chemin.

– Salle 1313 ? s'interrogea-t-elle, comme la tête lui tournait toujours après ce qui s'était passé avec Damen et le petit ours de gélatine.

Empruntant un immense couloir, elle entendit les vers du poème d'Edgar Allan Poe, «Annabel Lee», s'échapper par la porte d'une salle de classe lointaine. C'était le cours où elle aurait dû se rendre après la physique, et qui avait déjà commencé. Les mots résonnaient dans le couloir désert, rebondissant sur la surface des carreaux, encore polie et brillante en ce premier jour d'école.

> *Mais notre amour était beaucoup plus fort que l'amour*
> *De nos aînés, de bien des personnes*
> *Beaucoup plus sages que nous,*
> *Et jamais les anges du Ciel là-haut*
> *Ni les démons au fin fond de l'océan*
> *Ne pourront séparer mon âme de l'âme*
> *De ma toute belle Annabel Lee[1].*

Chose étrange, elle paraissait connaître le chemin jusqu'à cette fameuse salle où elle n'était pourtant jamais allée. Elle était littéralement attirée par une petite porte sans chiffre au bout du couloir. Elle l'ouvrit ; son regard plongea dans l'escalier, vers le sous-sol. Charlotte était cependant plus désorientée qu'effrayée. Comme elle s'apprêtait à descendre, elle aperçut les tuyaux nus et percés qui couraient au-dessus de sa tête, sur le plafond, et le sol de ciment sous ses pieds. Elle inspira profondément et se boucha le nez, par précaution : elle avait déjà avalé suffisamment de substances toxiques pour la journée, sur la passerelle.

---

1. Traduction du poème faite par Baudelaire. *(N.D.T.)*

– De ce côté-ci, gémit-elle, le nez pincé dans sa plus belle imitation de *Frankenstein Junior* tandis qu'elle posait le pied sur la première marche. Le silence absorbait le bruit de ses pas.

Les tuyaux paraissaient humides de condensation, mais, curieusement, ils ne suintaient pas. Il n'y avait pas non plus d'odeur de moisi ni de rouille. Elle libéra ses narines pour inspirer une deuxième bouffée d'air, et se rendit bien vite compte qu'elle n'avait réellement pas besoin de prendre cette peine.

Comme elle poursuivait sa descente dans cet escalier étroit parcouru de conduites d'eau, de chauffage et d'électricité, elle aperçut une petite lueur devant elle. Elle s'immobilisa sur place. La lumière était vive mais pâle, tel un clair de lune. Elle lui semblait provenir de derrière l'ancienne chaudière, hors service. Charlotte jeta un coup d'œil derrière et vit une pièce dans un coin. Et, gravé sur la vitre de la porte, se lisait le numéro 1313.

Charlotte commençait à se sentir nerveuse. Non pas tant à cause du sinistre bureau et des rayons de cette lumière inquiétante qui passaient sous la porte, mais parce qu'elle accumulait du retard sur le programme qu'elle s'était fixé. Elle avait déjà perdu un temps précieux avec ce petit détour. À cette heure, elle aurait dû être en train de suivre Damen à la trace, enfin, de «faire sa connaissance». Cependant, plus curieuse qu'agacée à cette idée, elle continua.

C'est sans doute là qu'on s'inscrit pour les classes de surdoués. Décidément, la journée ne pouvait pas être plus belle! se dit-elle dans un effort pour écarter toute autre pensée de son esprit, en franchissant le seuil de la porte avec exubérance, telle Tracy Flick dans le film *Élection*.

Sur le bureau, elle vit d'abord un vieux transistor et quelques bouquets de fleurs fanées. Elle reconnut aussi le morceau de Terry Jack, *Seasons in the Sun*, qui passait en

fond sonore, tout bas. Elle ne se souvenait plus très bien de cette chanson, mais à l'entendre dans cette pièce chargée d'humidité, sombre et déserte, elle avait bien du mal à se faire à l'idée que cette dernière ait pu devenir un tube. Même dans les années soixante-dix.

> *Salut à toi, l'ami de toujours,*
> *On se connaît depuis nos dix ans, imagine*
> *Ensemble, on en a escaladé des arbres et des collines*
> *On a appris ce que c'était que l'amour*
> *Appris à écrire,*
> *Écorché nos cœurs, écorché nos genoux...*

La zone! songea Charlotte en tournant la tête de tous les côtés et en tapotant du bout des ongles sur le bureau, dans l'espoir que quelqu'un l'entende.

– Eh, ho?! J'ai été appelée à ce bureau? Charlotte Usher! cria-t-elle enfin vers le fond de la salle pour attirer l'attention.

Une secrétaire au chignon défait, vêtue d'un chemisier strict en dentelle, au col boutonné très haut, surgit soudain de sous le bureau.

– Oh, pardon, je ne voulais pas hurler. Je n'avais pas pensé à regarder en dessous...

– Personne n'y songe jamais, mon petit», railla la secrétaire. Sans lui adresser un regard, elle tendit un bloc-notes à Charlotte. «Tenez, remplissez cela, et n'oubliez pas...» La secrétaire se tut soudain pour attiser la curiosité de son interlocutrice, comme si elle était sur le point de lui donner un conseil d'une importance capitale. «... N'oubliez pas DE ME RENDRE MON STYLO!»

L'étrange comportement de la secrétaire surprit Charlotte. Si cette dernière était vraiment «quelqu'un» dans cette

école, elle ne serait pas ainsi coincée au sous-sol d'un établissement, à travailler toute seule, dans une obscurité quasi totale.

Mais, avant que Charlotte ait pu formuler la moindre question, la secrétaire disparut derrière le bureau. Alors elle s'empara du bloc, remit en ordre les papiers et se dirigea vers une chaise, près d'une fille aux longues boucles rousses qui portait un costume de majorette vert menthe. Charlotte n'était pas certaine de l'avoir vue en entrant, mais comme elle avait l'esprit ailleurs, elle n'en aurait pas juré.

Elle parcourut rapidement les feuillets du bloc-notes, puis leva les yeux vers elle, essayant d'attirer son attention. En vain.

– Salut. Je m'appelle Charlotte, dit-elle timidement, main tendue.

Rien.

Ses mots semblaient être tombés dans l'oreille d'une sourde. Ou du moins des oreilles indifférentes, car la fille n'avait pas levé le nez de sa lecture. Charlotte n'avait que trop l'habitude de ce type de comportement, mais de la part d'une fille qu'elle ne connaissait pas??? Son cas s'était-il encore dégradé?

Elle décida d'en rajouter, tendant plus loin sa main, mais la fille demeura plongée dans son livre, sans même lever un sourcil devant cette tentative appuyée pour se montrer sympathique. Cette fille avait peut-être déjà des amis dans ce lycée, songea Charlotte. Peut-être qu'elle avait emménagé dans le coin, cet été, et que les «amis» en question lui avaient déjà parlé d'elle. Non, impossible. Les gens ne perdaient pas leur temps à parler d'elle durant l'été. Même pour en dire du mal.

Un léger sifflement vint tirer Charlotte de sa rêverie. Une sorte de solo de flûte qui se détachait soudain sur la musique

de l'orchestre. Regardant autour d'elle, Charlotte ne parvint à deviner d'où provenait ce son. Sur sa tête, elle aurait juré qu'il venait de nulle part. Elle se glissa un doigt dans l'oreille, le secoua dans l'espoir que le bruit cesserait. Non. Elle fit de son mieux pour tenter de l'ignorer, focalisant de nouveau son attention sur le formulaire à remplir. Sur la première page, elle lut : «Nouvel élève».

— Ah, j'imagine que je vais donc passer dans la classe des surdoués, l'année prochaine! claironna-t-elle fièrement, voulant impressionner la fille assise à ses côtés.

Tout excitée, elle se mit à cocher les cases, sans prendre la peine de lire correctement les questions.

Comme ses doigts fins glissaient à toute vitesse le long des lignes, elle s'enthousiasma, lisant d'une voix haute et tremblante :

— NOM, PRÉNOM, DATE DE NAISSANCE, SEXE... Sexe? Oui, avec plaisir!» s'exclama-t-elle à tue-tête, pour tenter à nouveau de se faire remarquer de la fille rousse sur la chaise. Sans plus de résultat.

— Donneur d'organes? lut-elle, un peu moins écervelée cette fois. Ouah, dingue, ce qu'ils ont besoin de savoir...

Elle continua de remplir le questionnaire, se concentrant pour ne pas écrire de bêtises. Parvenue à la fin, elle avait également épuisé sa patience. La dernière ligne l'intrigua. CDD.

— CDD? répéta-t-elle, exaspérée maintenant. C'est une blague? On n'est pas repris au bout de trois mois, dans les classes de surdoués?

Elle n'inscrivit rien en face de l'abréviation, et rendit le formulaire ainsi que son stylo à la secrétaire, qui lui tendit alors une étiquette avec son nom, attachée à un petit ruban élastique.

— Voici votre carte d'identité, aboya la secrétaire.

– Euh, merci, répondit Charlotte, ne sachant pas très bien pourquoi il lui fallait de nouveaux papiers d'identité, mais elle était trop intimidée pour poser la question.

Charlotte prit l'étiquette des mains glacées de la secrétaire qui s'agrippaient au petit morceau de carton et se l'enroula autour du poignet. L'élastique la serrait carrément, mais elle n'osa rien dire.

La secrétaire apposa un tampon «Accepté» sur le formulaire de Charlotte et s'empara d'un énorme classeur en acier inoxydable.

– Bien. Une chose encore… J'aurais besoin de votre confirmation…» Elle se tut un instant, lui tourna le dos et ouvrit nonchalamment un grand tiroir derrière elle. «Vous cochez là, reprit-elle, et vous paraphez, pour prouver qu'il s'agit bien de VOUS.»

Charlotte eut un choc. Elle n'en revenait pas de ce qu'elle avait sous les yeux. Et pourtant… Son corps immobile, gris, toujours revêtu de l'uniforme du lycée, allongé sur le métal, là, juste devant elle ! Elle eut la sensation qu'elle allait tourner de l'œil, mais elle resta figée sur place. Paralysée.

Alors seulement, elle commença à ressentir le froid qui se glissait le long de ses jambes nues. Elle saisit son poignet et prit son pouls. Rien. Elle posa alors ses deux mains bien à plat sur sa poitrine pour sentir son cœur, qui aurait dû battre à tout rompre en cet instant. Mais elle ne perçut pas un seul battement. Effrayée, prise de frissons, elle se rapprocha du cadavre et pinça délicatement chacun des membres, espérant une réaction. Toujours rien. C'est alors qu'elle reçut le coup de grâce : elle vit le paquet d'oursons qui dépassait de sa poche, et le coupable, l'assassin, accroché dans une petite pochette transparente sur sa poitrine. C'était ELLE, là, étendue sur cet étal, raide morte !

– CDD… Cause Du Décès, fit la secrétaire avec un grand sourire tandis qu'elle indiquait d'une petite tape le bonbon de gélatine.

Charlotte recula de quelques pas, dans un effort pour reprendre ses esprits, loin du cadavre. Ce faisant, elle trébucha et vint heurter un énorme ventilateur industriel qui trônait sur le bureau. L'instrument retomba sur son avant-bras, la lame sur sa main.

Impuissante, Charlotte vit ses doigts tomber un à un, tranchés net. Ses phalanges volèrent dans toutes les directions, dispersées dans la pièce. Elle plissa les paupières, s'attendant à ressentir une violente douleur et à voir jaillir un puissant jet de sang. Mais rien de tel ne se produisit.

Troublée, elle rassembla tout son courage et, le plus lentement du monde, rouvrit les yeux. Sa main, qui aurait dû être mutilée, estropiée, sanguinolente, n'avait strictement rien. Elle la tourna et la retourna devant ses yeux pour l'examiner, stupéfaite.

La fille rousse de la salle d'attente s'approcha de Charlotte comme celle-ci tentait désespérément de s'imprégner de la réalité de cet instant surréel.

– Plus rien ne peut te blesser, maintenant, lui dit tout simplement la fille en se penchant pour aider Charlotte à se relever. Je m'appelle Pam, et toi, eh bien, tu es… Bon, oui, tu es…

– Non, je t'en prie, ne me dis pas que je suis…

– … morte, si, murmura Pam à son oreille.

Ses mots pénétrèrent dans son tympan, soufflant dans son esprit tel un vent de tempête, et soudain le brouillard qui l'obscurcissait commença à se dissiper. C'était comme si quelqu'un avait rembobiné le film de sa journée. Elle vit tout ce qui s'était passé d'un autre œil, détachée d'elle-même,

comme s'il s'agissait d'une autre personne. Certains détails qu'elle n'avait pu voir lui sautaient maintenant aux yeux.

Tout devenait évident. L'annonce, dans le haut-parleur, le sous-sol glacial, la salle d'«attente». Elle tourna la tête, remarquant certains détails de la pièce auxquels elle n'avait pas prêté attention tout à l'heure : la teinte bleue des ongles de la secrétaire, qui n'avait rien de naturel, et les casiers de métal sur le mur du fond, comme dans une morgue, ou encore les lumières blafardes. Et, bien sûr, l'ourson de gélatine.

Charlotte poussa un hurlement d'une telle intensité qu'aucun son ne sortit de sa bouche. C'était un cri d'un autre monde, un cri que seule une terreur sans nom pouvait produire.

«Tu es morte, tu es morte», entendait-elle en écho dans son esprit, secouant violemment son âme tandis qu'elle s'enfuyait de la pièce par l'escalier.

4

Pourquoi moi ?

Tout ce que nous voyons ou croyons
N'est qu'un rêve dans un rêve.

Edgar Allan Poe.

Le destin est le meilleur mécanisme de défense.

———◆◆◆———

Il offre le réconfort de croire qu'il existe un ordre dans l'Univers. Il permet aussi de gagner du temps et épargne bien des efforts pour tenter d'expliquer l'inexplicable. Surtout pour soi. Charlotte se montrait de moins en moins sceptique, et de plus en plus prête à y croire. Oui, c'était indéniablement plus facile ainsi et, qui plus est, cela l'arrangeait. Elle y croyait, parce qu'elle en avait besoin.

ourquoi moi? Pourquoi moi? se répétait Charlotte sans attendre véritablement de réponse, dans l'espoir que plus elle poserait cette question, plus sa situation s'éclaircirait à ses yeux. C'était de cette façon qu'elle résolvait ses problèmes de trigonométrie, à la maison, en reformulant sans cesse la question à voix haute. Ça finissait toujours par produire un résultat. Elle en tirait même une certaine fierté.

Le souvenir lui revint que la plupart des gens mouraient d'un arrêt cardiaque le lundi, premier jour de la semaine. Elle était morte le premier jour d'école, au moment où tout allait commencer pour elle. Mais pourquoi justement aujourd'hui, alors que le destin l'avait désignée comme partenaire de laboratoire de Damen? Il lui fallait des réponses.

Charlotte escalada quatre à quatre l'escalier, hurlant toujours à pleins poumons, franchit en trombe une porte sans numéro, déboucha dans un couloir, et s'arrêta de crier en apercevant Pam juste devant elle. Elle avait cru qu'elle échapperait au cauchemar qu'elle était en train de vivre si elle courait le plus vite possible. Enfin, vivre... Peut-être pas exactement le bon mot.

– Tu ne peux pas t'enfuir, lui dit calmement Pam, comme Charlotte, à court de mots tant elle était effrayée, se retournait pour partir en courant dans l'autre sens.

Ses pas ne faisaient aucun bruit sur les dalles fraîchement astiquées du couloir ; le plastique de ses semelles ne couinait pas sur le sol.

À chaque tournant, PAF ! elle tombait sur Pam. Charlotte portait la main à son cœur, pour se souvenir qu'il ne battait plus. Sa poitrine n'était plus qu'une cavité creuse qui renfermait une pierre gelée.

– Tu ne peux pas t'enfuir, répétait Pam à chaque nouvelle tentative de Charlotte.

Dans un élan désespéré pour se détourner du spectre et de l'évidence qui se refermait sur elle, Charlotte se dirigea instinctivement vers la salle de physique. Quel meilleur endroit, pour trouver des réponses, que la scène même du crime ? En entrant, Charlotte remarqua qu'elle avait marché sur quelque chose, sans bien savoir de quoi il s'agissait. Elle se retourna : c'était la ligne de craie qui dessinait les contours d'un corps. Le sien.

– Une coquille vide ! Voilà comment on se souviendra de moi, désormais ! souffla-t-elle, découragée, en contemplant la forme grossière, ni homme ni femme, qui ressemblait vaguement à un bonhomme de pain d'épice sur le sol – la dernière image qu'elle laisserait d'elle à l'ensemble des élèves du lycée.

C'était une scène de crime, vraiment. Un crime qui révélait toutes les injustices de la société. Un crime contre l'humanité. Toute la barbarie de l'échelle sociale, étalée là, par terre, et tout le monde qui marchait dessus !

Mourir était déjà horrible, mais mourir d'une façon aussi pathétique, aussi débile... S'étouffer avec un ourson

en gélatine était une injustice presque trop cruelle pour Charlotte. Cela ne ferait que confirmer ce que les gens avaient toujours pensé d'elle, confirmer ses pires angoisses. Elle était vraiment nulle. Même pas capable de mâcher correctement !

Que faire d'autre que se punir un peu plus ? Elle s'étendit alors sur le dos, bras et jambes écartés, suivant les contours exacts du tracé à la craie sur le sol. Un renoncement, une abdication. Une sorte d'ange dessiné dans la neige, dans un sens un peu morbide.

L'espace d'une seconde seulement, tout lui parut soudain extrêmement drôle. Atrocement, ironiquement drôle. L'ultime et le plus terrible des tours qu'on lui avait jamais joué. Pourtant, elle en avait connu, des blagues humiliantes ! Mais là, elle avait eu sa part avec celle-ci ! M. Machin avait raison. Le destin était intervenu dans sa journée ; seulement, pas tout à fait de la façon dont elle l'avait souhaité.

« Dieu doit avoir un sacré sens de l'humour », songea-t-elle en levant les yeux au plafond.

Comme l'idée de Dieu lui traversait l'esprit, il lui vint une pensée qui n'avait rien de drôle, cette fois. Elle n'avait pas croisé de grand monsieur à barbe blanche, ni de grande dame, d'ailleurs – on ne sait jamais. Autant rester politiquement correcte, hein, se dit-elle, prudente. Désormais, il fallait faire attention à tout.

Elle avait passé sa vie à être jugée. Que pouvait-il lui arriver de pire ? Mais l'idée fugitive qu'elle pût jouer de plus de malchance suffit à l'obliger à se redresser d'un bond.

Charlotte releva le menton et demeura quelques instants méditative devant le tracé de craie blanche, comme elle l'eût fait devant une tombe. Puis elle ressortit dans le couloir. Là, elle vit Pam qui lui indiquait quelque chose d'un air sinistre. Son casier. Le sept.

– Tu parles d'un chiffre porte-bonheur, pouffa Charlotte, pleine de fiel.

Son casier était fermé par une bande de ruban adhésif. Aucune tentative d'effraction. Les élèves n'avaient même pas essayé de la voler. C'était assez insultant, quand on y songeait : personne n'avait eu envie d'aller fouiller dans ses affaires. Pas le moindre mouvement de curiosité à son sujet. Elle s'éloigna, un bout d'adhésif collé à sa chaussure, tel un bout de papier toilettes visiblement coincé dans un collant.

– Non, c'est impossible !» gémit Charlotte en fermant les yeux dans l'espoir de chasser ce cauchemar. Lorsqu'elle les rouvrit, Pam reparut, mais Charlotte commençait à s'habituer à la voir surgir ainsi sans prévenir. «Ça fait combien de temps que… ? demanda-t-elle timidement.

– Je ne sais pas exactement. Le temps ne veut plus dire grand-chose, ici.

– Tu veux dire que… je suis peut-être morte depuis, heu, mille ans, déjà ?

– Non, sans doute pas, reprit Pam en indiquant du doigt la fenêtre. Regarde.

Charlotte se hissa sur la pointe des pieds. À travers la vitre, sur le parking devant le lycée, elle vit un groupe de camarades de classe qui se rassemblaient près d'un minibus, tandis qu'une nouvelle annonce était diffusée par les haut-parleurs : «Attention, attention ! Tous ceux qui voudraient se rendre à la veillée mortuaire de Charlotte Usher doivent se présenter immédiatement dans la cour. Le bus va bientôt partir.»

Charlotte n'en croyait pas ses yeux. Si elle l'avait pu, à cet instant, elle aurait versé une larme. Devant le bus, il y avait un petit groupe qui attendait de partir pour son enterrement.

La mort l'avait-elle soudain rendue populaire ? Son esprit se mit à tournoyer à toute vitesse face à toutes ces possibilités.

Qu'allait-on dire d'elle durant la cérémonie ? Est-ce que les gens... – oserait-elle le rêver ? – les gens allaient-ils pleurer ? Y aurait-il des effusions dans l'assistance ? Elle brûlait d'impatience. Tout cela devenait soudain très... excitant.

Un détail troublant vint tirer Charlotte de sa rêverie. Là, au beau milieu de la foule, se trouvaient Pétula et les deux Wendy ! Et elles pleuraient ! Charlotte n'en revenait pas. Était-elle au paradis ? Peut-être qu'elle était comme tous ces peintres et ces écrivains ignorés de leur vivant, finalement adulés par le peuple après leur disparition ? La mort lui avait permis d'accéder à la perfection. Canonisée, même par ses détracteurs les plus virulents. Peut-être qu'elle manquerait même à Damen !

Ces pensées réconfortantes durèrent le temps d'une inspiration. Ce n'était pas le deuil qui avait attiré Pétula et les deux Wendy, mais les flashes des appareils photo, les blocs-notes brandis par les élèves du journal du lycée et la promesse de quitter plus tôt les cours ce jour-là. Charlotte rassembla ses forces, tendant l'oreille pour écouter les questions du journaliste... et les réponses de Pétula.

– J'ai mangé une moitié d'ourson en gélatine hier à midi, disait cette dernière dans un « sanglot », tandis qu'elle essuyait d'un geste étudié son eye-liner, du bout de son ongle impeccable, tout en jetant un œil à son maquillage dans son reflet sur l'objectif de l'appareil photo. J'aurais pu y passer !

– C'est une survivante ! pépia Wendy Anderson à l'intention des journalistes, comme si elle était l'agent d'une star, tout en passant une main autour de son bras, avec l'autre Wendy tentant désespérément de la consoler.

Ça, on pouvait compter sur Pétula pour tirer son épingle du jeu en se faisant égoïstement passer pour une victime, et profiter de ses funérailles pour se mettre en valeur ! En même temps qu'elle en éprouvait une haine féroce, Charlotte

ne pouvait s'empêcher d'avoir de l'admiration pour elle. De l'envier, même. Charlotte avait du mal à savoir si Pétula était incapable de supporter que les projecteurs se braquent sur quelqu'un d'autre, ou si elle ne pouvait tout simplement pas laisser passer une seule occasion de briller. Le résultat était le même. Pétula, Pétula, il n'y en avait de toute façon que pour Pétula.

Comme l'équipe de journalistes s'en allait et que les photographes rangeaient leur matériel, Charlotte l'entendit qui demandait aux deux Wendy d'enregistrer les informations sur la chaîne locale. Puis elle remarqua les élèves qui couraient sur le parking, agitant leurs bras à travers les bretelles de leurs sacs à dos comme s'il s'agissait de parachute. Ils se frappaient dans les mains, réjouis. Un signe évident que la journée était terminée. Ah, ça, ils se sentaient concernés. Concernés par les cours supprimés, oui !

– Voilà, reprit Charlotte en détournant le visage de la fenêtre. Je suis morte, et tout le monde m'a déjà oubliée.

Muette, Pam la regarda pleurer sur son sort. Normal, vu les circonstances. Du moins Pam n'avait-elle pas à se soucier de larmes concernant la famille. Les adolescents qui mouraient ne pleuraient jamais pour revoir leurs parents. Ils étaient *beaucoup* trop centrés sur eux-mêmes pour cela.

Sa litanie de «pourquoi moi ?» se mua en une suite éplorée de «pourquoi on ne m'a jamais aimée ?». Sa personnalité pleurnicharde reprenait le dessus. Inutile de prétendre plus longtemps avoir changé. L'été venait de s'achever, et tout, absolument tout, était perdu.

– Pourquoi il n'arrive jamais rien de mal à Pétula, hein ? fulminait Charlotte avec mépris. J'espère qu'un jour, elle verra. Non, se dit-elle au beau milieu de sa réflexion, si jamais une chose pareille lui arrivait, ce n'est pas la presse locale qui serait convoquée, mais la presse nationale ! On retirerait les

oursons en gélatine des rayons de toutes les grandes surfaces. On diffuserait des spots de prévention contre les bonbons de gélatine ! Les autorités déclareraient qu'ils sont extrêmement dangereux, ça deviendrait la nouvelle grippe aviaire ! On ferait des reportages sur les symptômes de manque d'oursons en gélatine chez les adolescents, suite à la crise… Sans parler des journées de commémoration, chaque année, à la télé… Damen déposerait en secret des brassées de roses rouges sur sa tombe, toutes les semaines, durant toute sa vie ! Le lycée serait rebaptisé en son honneur. Les cloches de l'église sonneraient tous les jours en souvenir de l'heure exacte de sa mort. Non pas pour ce qu'elle aurait accompli durant sa courte vie, mais pour ELLE, pour ce qu'elle représentait. Elle deviendrait une icône. Comme Marilyn Monroe.

– Et moi, hein ? pleurait toujours Charlotte. Je ne suis rien qu'un dessin à la craie sur le sol. Les gens me marchent dessus au lieu de m'enjamber ! Je dérange l'administration, c'est tout. À cause de moi, ils doivent se taper de la paperasserie en plus. J'vaux même pas qu'on m'accorde une minute de silence.

Elle se sentait profondément trahie.

– Tu as terminé ?

– Presque.

– Prends ton temps, reprit Pam d'une voix où tintaient les premières notes de gentillesse à son égard.

Mais Charlotte n'entendait que ce léger sifflement qui avait déjà retenu son attention, la première fois, dans le bureau. Cette fois, pas de doute ; c'était bien de sa bouche que provenait ce petit air mélancolique.

– C'est quoi, ce bruit que tu fais en parlant ?

– Bon, voilà, je me présente. Officiellement, on m'appelle Piccolo Pam.

– Piccolo?

– C'est mon nom de morte.

– Ton nom de morte? fit Charlotte, remarquant qu'elle n'en avait pas, ce qui l'excluait de nouveau.

– Oui. C'est comme un surnom qu'on donne à certains. Il a généralement un lien avec la façon dont on est mort. Mais on ne t'en attribue pas toujours tout de suite. Ne le prends pas personnellement.

Comment ne pas le prendre personnellement? Charlotte songea à ce que pourrait être son «nom de morte», de plus en plus effarée devant la perspective d'être marquée pour l'éternité du sceau de son humiliation.

– On m'appelle comme ça parce que j'aurais trébuché pendant le défilé de la fanfare, soi-disant, et que j'aurais avalé mon piccolo.

– Oh, désolée.

– Pas tant que moi. Mais, au moins, je suis morte en faisant quelque chose que j'aimais, et pour laquelle j'étais douée, répondit Piccolo Pam.

– Mouais...

– Et puis, je suis morte durant mon solo. Personne ne m'oubliera jamais, c'est certain. C'est ce qui compte, ajouta-t-elle fièrement.

– Mouais, répéta Charlotte, les yeux dans le vague.

C'en était trop pour elle. Il lui fallait du temps pour s'éclaircir un peu les idées.

Piccolo Pam la prit dans ses bras. Elle la serra fort contre elle quelques instants pour lui redonner du courage.

– C'est pas si terrible, après tout, plaisanta Pam. Il faut voir le bon côté des choses : tu n'auras plus jamais besoin de t'épiler!

«Dieu n'avait peut-être pas le sens de l'humour, mais Pam si, aucun doute là-dessus», se dit Charlotte.

— Pas si terrible? protesta-t-elle, les yeux exorbités d'indignation. La fille qui gobe tout, tu parles! C'est comme ça qu'on va se souvenir de moi pour l'éternité, merci...

Comme cette vision l'attristait plus profondément encore, elle sentit un nœud se former dans sa gorge. Elle toussa, comme pour se débarrasser de cette idée.

— Ne t'inquiète pas de cette histoire de surnom, lui dit Pam dans un effort pour la réconforter. Pour l'instant, ce dont tu as besoin, c'est savoir où tu en es.

Pam saisit la main de Charlotte dans la sienne et lui fit signe de la suivre.

5

La mort
pour les imbéciles

Un fantôme est un être qui n'a pas accompli
ce qu'il devait faire.

Sylvia Browne.

L'avenir le dira.

———◆•◆•◆———

Le passé n'avait pratiquement aucun sens, désormais. Une porte fermée, tout au plus. Celle qui l'avait menée au présent. Un temps terriblement incertain, avec ses doutes incessants et ses angoisses. Mais il y avait le futur, pour dissiper toutes ces peurs, pour rendre passé et présent supportables. L'avenir avait contenu tous les espoirs et les rêves de Charlotte. Et maintenant, elle en était privée.

Il y avait encore tellement de choses que Charlotte aurait aimé accomplir avant de mourir, tellement de choses ! Voir une nouvelle fois la neige tomber, voir les joues roses de Damen après un match de foot improvisé dans le parc, après les cours. Recevoir un nouveau bulletin scolaire. Mais bon, mourir en n'ayant plus rien à attendre de la vie, c'était rare, se disait Charlotte. On n'en a jamais assez.

Voir tomber la neige une fois encore, ce ne serait pas suffisant. Voir Damen une dernière fois ? Ça ne suffirait jamais non plus. Une profonde tristesse l'envahissait tandis qu'elle suivait Pam le long du couloir.

– Qui es-tu… vraiment ? la pressa Charlotte.

Pam semblait à peu près normale… Mais si elle était une sorte de démon qui aurait pris la forme d'une jeune fille, pour l'attirer dans le néant ? Charlotte serait peut-être condamnée à pousser un énorme rocher au sommet d'une colline pour l'éternité, ou un truc dans ce goût-là.

– Je suis là pour t'aider, répondit Pam. Nous avons tous besoin d'aide quand nous mourons, pour nous adapter à ce qui nous arrive. Le passage de «là-bas» à «ici» est le moment le plus délicat.

– Et ici, c'est quoi? On est où?

– Tu auras toutes les réponses aux questions que tu te poses en orientation, lui confia Pam.

– En orientation? demanda Charlotte, irritée.

Mais, avant même que Charlotte n'ait pu obtenir un éclaircissement, Pam s'immobilisa et, sans piper mot, lui fit un signe de la tête pour lui indiquer une lueur qui filtrait sous la porte d'une salle de classe.

Pam s'apprêtait à entrer, mais Charlotte resta paralysée sur place. Elle vit Pam disparaître progressivement, puis tourner la tête dans sa direction pour lui adresser un sourire amical, avant d'être avalée tout à fait dans la lumière. Charlotte était totalement seule dans le couloir.

– Pam! s'écria-t-elle, angoissée. Qu'est-ce que je fais, maintenant?

Sa voix tremblait. Ses paroles résonnèrent dans le silence.

Confrontée à l'insurmontable, Charlotte fit preuve, comme souvent, d'un grand bon sens. Une façon de mettre la douleur à distance, en considérant les choses à leur juste mesure. C'était son instinct de protection qui lui dictait sa conduite. L'instinct de la pauvre fille forte en maths et en sciences qu'elle était.

«Bon, voilà», se dit-elle en considérant le couloir désert.

Son heure avait sonné. Elle était M-O-R-T-E. Elle n'arrivait toujours pas à prononcer le mot, mais elle en avait eu la preuve en voyant son cadavre dans un tiroir, et en assistant par la fenêtre au départ du bus devant le parking. Elle avait fait la connaissance de Pam, son guide, son ange gardien ou autre… Et maintenant, le signe le plus évident: cette aura

de lumière. Tout cela ressemblait beaucoup à ce qu'on lui avait raconté, ce qui avait quelque chose de rassurant. La peur la tenait, mais le choc était passé. L'angoisse en était considérablement diminuée.

En vérité, elle commençait à éprouver une légère satisfaction. Tout le monde ne rêve que de savoir ce qui se passe après la mort. Eh bien, elle savait, maintenant. Enfin, elle appartenait à un club très fermé ! Disons, à peu près fermé, plutôt. « Tout le monde meurt, évidemment. Mais rares sont ceux qui meurent si jeunes », se dit-elle froidement, dans un effort pour se distinguer tout de même. Son heure avait sonné. Son heure à elle.

Malheureusement, elle n'avait personne à qui le raconter. Pas moyen d'échanger cette info contre un ragot, une invitation à une fête, ou même contre de faux papiers. Elle devrait garder son secret pour l'éternité, comme tous les autres avant elle. Personne n'affrontait la mort et n'allait ensuite le raconter aux vivants. Bon, à part ceux qui se vantaient de l'avoir frôlée de très près, d'avoir vu une lumière et tout le tralala, ceux qui n'arrêtaient pas de déblatérer ensuite sur ce qu'il y avait après, et qui, soudain, commençaient sérieusement à l'agacer.

– Si c'était si bien que ça, d'être mort, pourquoi ils ne se tuent pas tout simplement, hein, et qu'ils arrêtent d'en parler ?» Qu'est-ce qu'elle ne donnerait pas, elle, pour un ticket retour offert par un défibrillateur, une infirmière zélée ou quelque médecin des urgences ! « Bouffons ! pouffa Charlotte, narquoise. Merci, les gars. Me voilà coincée... pour l'éternité ! »

Un sentiment de solitude l'envahit, plus profond encore que celui qu'elle avait toujours connu. Pam n'était partie que depuis un instant, mais cela suffisait largement pour revivre, comme dans un retour rapide avec un DVD, toutes

les déceptions, toutes les erreurs, tous les échecs, toutes les occasions manquées de son existence. Soudain, le cliché qui veut qu'on voie défiler toute sa vie à l'instant de sa mort, cliché qu'elle avait toujours trouvé lamentable, ne lui paraissait plus si risible désormais.

Et bien sûr, le dernier plan du film de sa vie, la perte la plus énorme, la plus insupportable : Damen. Le mot « FIN » aurait pu s'inscrire en surimpression sur les images qui défilaient dans sa conscience. Tout lui apparaissait avec clarté maintenant : comme tout aurait pu être différent... Il était trop tard pour changer le cours des choses. Alors, paisible ? Non, décidément, elle ne se sentait pas paisible à l'instant de sa mort.

– La vie est gâchée à force de vivre, fit-elle.

Lentement, timidement, elle poursuivait son chemin le long du couloir vers la Lumière, tandis que ses genoux s'entrechoquaient.

Comme elle s'en approchait, Charlotte plongea dans la Lumière, baignée de sa pureté. Elle se sentait telle une enveloppe tenue dans le soleil par une belle journée d'été. Translucide. Totalement aveuglée, elle aurait juré entendre un chœur de voix célestes qui chantaient seulement pour elle. Son amertume se dissipa.

« Comme c'est beau... Tout est si paisible », songea-t-elle, s'abandonnant aux délices de cet instant de sérénité suprême.

Des particules de poussière flottaient doucement autour d'elle, comme autant de minuscules paillettes dans la lumière. En s'approchant encore, Charlotte vit avec plus de clarté ce qui l'entourait : plus loin, le contour d'une porte, à peine entrouverte. Elle ferma un œil, laissant l'autre ouvert à demi, regardant de biais comme si elle visionnait un film d'horreur, puis avança, aussi effrayée que curieuse.

Tranquille, elle ne le fut qu'une fraction de seconde : elle trébucha sur une sorte de corde et s'affala de tout son long sur le ventre.

Charlotte se retrouvait de nouveau étendue sur le sol, les yeux grands ouverts, à essayer de comprendre ce qui se passait. Lentement, elle cligna des paupières, dans un effort pour se concentrer. Tournant la tête de côté, elle vit que la lumière émanait en fait d'un vieux projecteur 16 mm, boulonné à un chariot. La jeune fille avait déjà vu pareille relique, une fois, le jour où elle avait été réquisitionnée pour aider Sam Wolfe à ranger l'entrepôt de l'ancien club d'audio-visuel dans le sous-sol du lycée.

Charlotte souleva légèrement la tête au-dessus du sol pour découvrir une vision totalement insolite : un océan de pieds ornés d'étiquettes. Elle écarquilla les yeux en comprenant que celle qu'elle s'était mise au poignet et qui la serrait était en réalité destinée à son gros orteil. Elle se trouvait dans une pièce emplie d'élèves, morts comme elle.

Avant de paniquer tout à fait, elle entendit une voix d'homme qui s'élevait :

– Mike ! Lumières !

Un type, près de la porte, régla l'éclairage. Non que cela fît une différence majeure : Charlotte voyait assez bien sans cela, mais elle avait tout le loisir désormais d'observer certains détails. La salle de classe, par exemple. Sous cette lumière, elle en remarqua toute sa... vétusté.

Le décor était morne et triste, passé de mode ; un croisement entre une boutique d'articles d'occasion pour récolter des fonds pour les pauvres et une salle de réunion pour anciens combattants. Les chaises et les bureaux de chêne clair paraissaient solidement menuisés, mais ils étaient dépareillés. Des cartes d'anciens pays aux frontières depuis longtemps redessinées étaient suspendues au tableau noir.

Des étagères, partiellement recouvertes de drap de velours élimé, s'alignaient contre le mur du fond, depuis le sol jusqu'au plafond, croulant sous de vieux ouvrages obsolètes et des collections incomplètes d'encyclopédies. Des fragments de fossiles et de créatures disparues depuis des siècles de la surface du globe étaient présentés dans des bocaux de formol, sur des plans de travail de marbre noir.

Plumiers et encriers, parchemins et bâtons de cire jonchaient les lattes usées du plancher d'érable. Une machine à écrire à ruban de tissu, une règle, une balance pour le courrier, un compas et un boulier reposaient sur un comptoir, aux côtés d'un phonographe Victrola d'imitation et de piles de vieux 78 tours ébréchés.

Elle tourna la tête pour regarder derrière elle, au-dessus du chambranle de la porte, là où elle s'attendait à trouver une horloge, mais il n'y en avait point. Le seul instrument de mesure du temps qu'elle vit était ce sablier sur le bureau, à l'avant de la salle, mais le sable ne s'écoulait pas dans le vase inférieur. Charlotte se souvint de Pam lui disant que le temps n'avait guère de sens «ici» : ce n'était pas une blague. Il lui semblait que rien dans cette pièce n'avait plus aucun sens. Cette salle de classe était décorée comme si le siècle passé n'avait jamais existé.

«Alors, quoi? Pas de cadran solaire?» songea-t-elle.

Ce n'était pas seulement que le décor était ancien. C'était son aspect révolu qui la frappait. Tous les outils et instruments qu'elle avait remarqués, y compris le projecteur, avaient été, en leur temps, à la pointe de la technologie; ils avaient même été d'une utilité capitale. Mais, depuis, ils avaient été améliorés, remplacés ou tout simplement oubliés. Elle avait déjà vu pareils objets dans des reportages à la télé, ou encore dans un quelconque vide-grenier, après la mort d'une grand-mère du voisinage.

Tout cela prenait un sens étrangement atroce. Tous les rebuts d'une époque semblaient trouver leur place quelque part dans cette pièce, sur une étagère ou une table. Une façon poétique de décrire les lieux aurait été de dire que le temps n'avait là aucune prise, qu'il avait suspendu son vol… Mais tout et tous ceux qui se trouvaient là semblaient plutôt décalés. Oui, douloureusement, manifestement, totalement «décalés». Y compris elle-même.

– Merci, Mike, répondit la voix d'homme.

Cette fois, Charlotte se retourna pour voir qui avait parlé. Une main pâle se tendit pour la saluer et l'aider à se remettre sur ses pieds. Elle leva un bras hésitant et l'attrapa.

– Ah, notre nouvelle étudiante, lui dit l'homme, saisissant ses doigts entre les siens.

Charlotte se releva, médusée.

– Bienvenue. Je suis monsieur Cerveau, continua-t-il, de toute évidence très fier. Nous vous attendions.

Le terme «étudiante» n'était pas encore parvenu jusqu'à son esprit. Charlotte était en effet complètement fascinée par cette apparition de Cerveau. Tout comme la salle de classe, il semblait que le temps n'avait eu sur lui aucune prise, et cela lui donnait un air à la fois rassurant et inquiétant. Il était grand, mince, extrêmement poli, vêtu avec un soin méticuleux, comme s'il s'apprêtait à sortir pour un dîner mondain plutôt qu'à faire cours. Il avait quelque chose du directeur d'une entreprise de pompes funèbres, dans son costume trois-pièces noir, avec sa cravate bordeaux.

– Prenez place, fit-il en invitant Charlotte à s'installer.

Charlotte leva vers Cerveau un regard interrogatif; elle parcourut des yeux la salle, à la recherche d'un endroit où s'asseoir. Le seul bureau disponible se trouvait au fond de la pièce. Et, au contraire de la ligne vierge, au bas du feuillet d'inscription pour les épreuves de sélection des

pom-pom girls, la place semblait lui être destinée. À elle, et elle seule.

– Bien sûr, répondit Charlotte tout excitée, se souvenant que les places du fond étaient celles des élèves les plus populaires.

Elle s'avança fièrement dans l'allée et s'assit.

– Bon, maintenant, les autres, permettez-moi de vous présenter Charlotte Usher. Veuillez lui réserver un excellent accueil au sein de l'école des Morts, ou, ainsi que j'aime à le dire, en classe de Réhab pour les Macchabs.

– Bienvenue, Charlotte! récita la classe, un peu trop mécaniquement à son goût.

Cerveau riait si fort de sa propre blague, au beau milieu des salutations des élèves, que son «postiche» – à savoir, une bonne partie de son crâne – glissa, attaché seulement par un fragile bout de peau, les stries spongieuses de son cerveau rendues soudain visibles à toute la classe. Gêné, il cessa très vite de rire pour le remettre en place, avant de tirer nerveusement sur la veste de son costume, de resserrer sa cravate et de s'éclaircir la gorge, comme si de rien n'était. D'ailleurs, l'absence de réaction des autres élèves laissait penser que ce type d'incident était loin d'être rare.

– Mais évidemment…, monsieur Cerveau! siffla Charlotte pour elle-même, fière d'avoir résolu toute seule cette petite énigme.

Telle une mante religieuse, Cerveau s'approcha du tableau noir d'un pas léger, mais légèrement penché – au niveau de ses cinquième et sixième vertèbres cervicales, d'après les observations de Charlotte. Là, il commença son cours en écrivant d'un geste frénétique cette phrase :

Non sum qualis eram. (Je ne suis plus celui que j'étais.)

Il souligna alors sa phrase d'un trait de craie puis se retourna vers la classe, main levée comme un chef d'orchestre avant

le début d'un morceau. À son signal, de nouveau, les élèves reprirent à l'unisson :

– *Non sum qualis eram.*

Charlotte n'avait jamais appris le latin, mais, sans qu'elle sût très bien se l'expliquer, elle comprenait le sens de cette phrase. Horace, de nouveau.

– Oui. Un professeur mort. Des élèves morts. Un poète mort. Une langue morte, marmonna-t-elle. Bien sûr !

Elle essaya de capter le regard de ses camarades de classe, mais tous, pratiquement, gardaient les yeux rivés sur Cerveau – même Pam. Tous, à l'exception d'une seule : une jeune fille au visage renfrogné, avec une petite coupe au carré très droite et une frange noire, juste devant elle. Elle portait un rouge à lèvres pâle et une robe froissée et tachée. Charlotte aurait juré qu'elle l'avait entendue traiter quelqu'un de «pauvre tache», mais tout le monde demeurait tourné vers le tableau, lèvres scellées.

«Qui, moi?» songea Charlotte, en se retournant pour voir d'où provenait l'insulte.

«Oui, TOI!» répondit un écho tonitruant dans sa tête. Et, pour que tout fût bien clair, la jeune fille se retourna pour lui décocher le regard le plus mauvais que Charlotte ait jamais vu. Pourtant, on lui en avait lancé, des regards mauvais.

Pétrifiée, Charlotte baissa les yeux vers les pieds de la jeune fille, cherchant à lire l'étiquette de son gros orteil. Son nom était PRUDENCE, mais le plus étonnant était qu'elle ne portait qu'une seule chaussure. Charlotte se souvint alors de cette histoire horrible dont elle avait eu vent durant sa courte existence. Elle revit cette image qui repassait en boucle à la télévision, tandis que les journalistes racontaient les détails sordides de l'affaire. L'image d'une chaussure abandonnée sur le bord de la route, après un terrible accident de voiture suite auquel le chauffard avait pris la fuite. Cette chaussure

avait hanté la population tout entière. C'était LE détail qui avait permis à tout le monde d'apprécier toute l'horreur de la situation. Cette petite chaussure avait un jour appartenu à quelqu'un. Quelqu'un qui l'avait choisie exprès ce matin-là. Quelqu'un qui allait quelque part avec cette chaussure, ce soulier qui allait où le voulait cette personne. Et maintenant, elle gisait là, abandonnée au beau milieu de la route. Une pierre tombale éphémère.

— Bien, comme vous pouvez le constater, j'étais en train de préparer le vidéoprojecteur pour votre arrivée. Nous allons voir un petit film d'«orientation», pour votre édification, dirions-nous, n'est-ce pas? expliqua M. Cerveau.

Comme il se dirigeait vers le projecteur pour terminer d'installer la bobine, la sonnerie d'alarme à incendie de l'école se déclencha.

Entendant la sirène, Charlotte bondit sur ses pieds, s'apprêtant instinctivement à courir en direction de la porte, mais les autres, impassibles, ne se levèrent pas de leur chaise. Mike, qui s'était mis à mimer au hasard un air de guitare, la saisit par le poignet comme elle passait devant lui. Surprise, elle sentit néanmoins que ce geste était plus destiné à la protéger qu'à l'empêcher de fuir. Il avait des écouteurs sur les oreilles, mais qui n'étaient reliés à rien.

— Tu as déjà quitté le bâtiment, lui dit-il, battant le rythme de ses jambes, comme s'il se lançait dans un solo de batterie avec ses baguettes.

— Bah, l'habitude, répondit Charlotte. Tu m'entends quand même, avec ces trucs qui te gueulent dans les oreilles?

— Ouais, répondit Mike juste un petit peu trop fort.

Mike retenait Charlotte par le poignet, mais rien ne pouvait empêcher les souvenirs douloureux de la submerger. Sans doute l'alarme à incendie, souvenir infime de sa vie quotidienne? Son cœur ne battait peut-être plus, mais les

pincements, telles des douleurs ressenties par un membre fantôme, eux, étaient bien réels.

Piccolo Pam s'approcha pour la présenter officiellement à Mike.

— Voici Métal Mike. Le volume de son baladeur était trop fort pendant son examen de conduite, expliqua Pam. Il a été... distrait. Ça ne s'est pas bien terminé.

— Ah... On lui a donné ce nom de mort parce qu'il écoutait du heavy metal?

— Oui, dit Pam. Et aussi parce qu'il a des bouts de métal dans le crâne, à cause de l'accident.

— Est-ce que je l'ai eu? demanda Mike à Piccolo Pam, en faisant comme s'il pinçait les cordes d'une basse.

— Il me demande ça tout le temps. Il coince là-dessus, alors je lui répète que oui, murmura-t-elle à Charlotte. Oui, Mike, tu l'as eu, dit Piccolo Pam de sa voix la plus douce, ce qui eut pour effet de calmer aussi bien Mike que Charlotte.

Mike relâcha le poignet de Charlotte et Piccolo Pam la raccompagna à son bureau. Tandis qu'elle avançait dans l'allée, Charlotte garda les yeux rivés au sol pour lire les étiquettes des élèves à leurs pieds. En observant leurs chaussures, elle apprit ainsi bien plus sur eux qu'elle ne l'aurait souhaité.

Mike portait des chaussures de sécurité abîmées, ses gros orteils dépassaient. «Jerry» portait des Birkenstock de hippy. «Abigail», qui trônait au beau milieu d'une flaque d'eau boueuse, portait des claquettes, au bout de ses pieds nus dont on voyait apparaître les veines gonflées et bleues. Charlotte ne put se retenir de relever légèrement le menton, et vit que la jeune fille portait un maillot de bain de compétition aux couleurs de son école. «Suzy» n'avait pas de chaussures, et elle était couverte de profondes entailles de la tête aux pieds. Elle ne cessait de regarder par-dessus son épaule pour voir si

l'un des élèves l'observait, avant de plonger sous la tablette de son bureau pour arracher les croûtes de ses cicatrices. Charlotte fit mine de n'avoir rien vu.

Chaque élève était plus effrayant l'un que l'autre, mais, dans le décor de cette classe, ils avaient bien leur place. «Et moi? se demandait Charlotte. De quoi j'ai l'air, à leurs yeux? Est-ce que j'ai ma place, ici, moi aussi?»

Elle ne se sentait guère différente, depuis son «arrivée», à l'exception de sa voix un peu étranglée, comme si elle avait avalé une grenouille. Ressemblait-elle toujours à cette grande asperge maigrichonne qu'elle avait été toute sa vie? Avec cette même masse de cheveux indisciplinés qu'elle n'avait jamais pu dompter qu'à grand renfort de démêlants, conditionneurs et bombes de laque?

— Comme je le disais, vous devez avoir un certain nombre de questions à poser, reprit M. Cerveau, qui semblait lire dans ses pensées, comme il orientait correctement le projecteur.

— Ouais, j'en ai une, l'interrompit Jerry avant que Charlotte n'ait pu formuler la sienne. Est-ce qu'on est vraiment obligés de revoir ce film?

— Oui! aboya Prudence. Pour tes circuits grillés. T'as quelque chose de mieux à faire? Non? Bon! Alors on va le voir, et le revoir, jusqu'à ce qu'il s'incruste dans ta petite cervelle. Et dans celle de tous!

Prudence, ou plutôt Prue, ainsi que l'appelaient les élèves, clôtura ainsi le débat, non seulement à l'intention de Jerry, mais de tous les autres. Charlotte avait pourtant une question cruciale à poser, et elle n'était pas du genre à laisser tomber. Sans réfléchir plus longtemps, elle lâcha :

— Vous savez ce qui va se passer, maintenant, dans mon cours de physique? On vient juste de désigner les partenaires de laboratoire, alors, vous comprenez, ça m'ennuie de le laisser tout seul.

La classe tout entière partit d'un grand éclat de rire devant la naïveté de Charlotte. Il n'y eut que Prue pour ne pas s'esclaffer, bien qu'elle eût du mal à dissimuler son dégoût.

– Oh, mon Dieu, on en tient une sévère, là ! railla-t-elle en levant les yeux au ciel.

Charlotte s'affaissa sur sa chaise. Ce qu'elle venait de demander était sans doute complètement stupide, mais quoi ? Personne ne la connaissait. Ils ne savaient rien de sa situation. Elle se préoccupait vraiment de ce qu'il allait advenir de Damen, en physique. Curieusement, c'était même la seule chose qui lui importait.

– Bon, bon... Visionnons ce film, hein. Rappelez-vous, il faut sous terre... Je veux dire, gloussa-t-il de nouveau pour appuyer son calembour, il faut se taire ! Tout ce qui restera dans l'ombre, après cela, pourra être discuté à la fin...

M. Cerveau lui fit passer un livre intitulé *Manuel de savoir-vivre à l'usage des morts*.

– Voilà pour toi, Charlotte. Pour rattraper le niveau de tes camarades dans leurs études.

– Leurs études ?

Charlotte ouvrit le livre et se mit à parcourir le sommaire, lisant les titres des chapitres à voix haute, pour elle-même, tandis que M. Cerveau rallumait le projecteur.

– Lévitation ? Télékinésie ? Phénomènes ondulatoires ? Télesthésie ?

Charlotte écarquillait les yeux, ne pouvant croire ce qu'elle lisait. Elle était maintenant tout à fait revenue de son choc initial. Intriguée, elle feuilleta rapidement les pages du volume. Mike éteignit les lumières. Le film commença, suite d'images tressautantes dans le plus pur style des documentaires des années cinquante. Un compte à rebours et une voix off au ton moralisateur venaient parachever cette impression.

Jerry Tête de Mort – le garçon en Birkenstock – dormait déjà, gardant les yeux ouverts. Lorsqu'il se mit à ronfler, Charlotte surprit Piccolo Pam qui se penchait affectueusement pour lui fermer les paupières, comme on le ferait à quelqu'un qui vient juste de mourir.

«C'est mignon», songea Charlotte, sensible à l'attention que lui témoignait Pam.

La pièce était désormais plongée dans une obscurité totale. La voix râpeuse de Prue fit de nouveau sursauter Charlotte.

– T'as intérêt à suivre, Usher, lui dit-elle, hargneuse, en battant le sol du pied. Parce que si on se le retape, ce film, c'est uniquement pour toi.

– J'avais compris, répondit Charlotte en toussant.

L'idée de demander à aller à l'infirmerie lui traversa l'esprit, mais cela n'avait plus vraiment de sens, dorénavant.

Pam se retourna et adressa un regard noir à Charlotte, comme pour lui signifier de ne pas agacer Prue. Trop tard, apparemment. C'était clair comme de l'eau de roche : «ici», Prue était la reine de l'essaim ; abeille, ou pire, guêpe, elle avait déjà pointé son dard en direction de Charlotte.

Pour cette dernière, le mystère demeurait entier. Pourquoi Prue la détestait-elle ? Elle avait à peine eu le temps de faire sa connaissance, comment pouvait-elle déjà la haïr ? Au lycée, il avait fallu un semestre entier pour que certains élèves la prennent en grippe. L'hostilité de Prue avait été instantanée, et elle semblait empirer chaque fois qu'elle posait sur elle son regard, ou chaque fois qu'elle ouvrait la bouche.

À l'écran, une couronne apparut, sur une musique au thème vieillot.

Une adolescente, tout droit sortie des années cinquante, avec ses boucles courtes, sa jupe bleu marine, ses sandales plates et son chemisier blanc amidonné, surgit à l'image.

Une voix d'homme, en off, l'appelait pour attirer son attention. «Susan Jane? Susan Jane?»

La jeune fille se retournait pour voir d'où venait la voix; elle semblait perdue dans le décor de la classe, ne sachant que faire du livre qu'elle avait dans les mains.

«Susan Jane va bientôt découvrir que, même morte, il lui faut néanmoins obtenir son diplôme», disait le narrateur.

Susan Jane paraissait déçue.

Charlotte ne put réfréner le même mouvement d'abattement. «Une école? Super! La vie craint, tu meurs, et après, ça craint toujours», gémit-elle intérieurement.

— Je suis peut-être mort, mais pas sourd, fit M. Cerveau, l'enjoignant à se tenir tranquille.

Charlotte s'affaissa sur sa chaise, les yeux rivés sur l'écran.

«Comment te sens-tu, Susan Jane?», demandait le narrateur. — Eh bien... Maintenant que vous le dites, je me sens un peu bizarre... — Il y a une explication à cela, Susan Jane.»

Alors, l'image se divisa: à droite, Susan Jane vivante, à gauche, la même, morte. Elles étaient en tous points identiques. «Voici deux photos de Susan Jane, soulignait le narrateur, en indiquant d'une petite flèche rouge l'*avant* et l'*après* du moment de sa mort. Aucune différence en apparence, pourriez-vous dire. Mais à l'intérieur, son corps a subi de grandes transformations.»

Soudain, à l'écran, les corps furent remplacés par des dessins. L'un montrait le réseau de veines et d'artères, représenté par une série de flèches rouges. L'autre était vide.

«Le changement le plus évident est que le corps de Susan Jane ne fonctionne plus, mais ça n'est pas parce qu'il ne travaille plus qu'elle n'a pas de travail à faire», annonça le narrateur.

La caméra se braqua alors sur le *Manuel du savoir-vivre à l'usage des morts*. La couverture s'ouvrait sur les premières pages. Le chapitre était intitulé «Introduction à la mort». L'on voyait le dessin de deux garçons. Billy, qui paraissait un adolescent poli, bien habillé, obéissant, les cheveux gominés, et Butch, un garçon plus effronté à la tignasse ébouriffée et l'air légèrement demeuré.

«Voici Billy, disait le narrateur pour présenter les deux personnages sur l'écran. Et... bon, voici Butch. Dans la vie, ces deux compères avaient tendance à garder la balle pour eux. Il fallait toujours qu'ils soient les premiers, les favoris de leur entraîneur, les vedettes de leur équipe... Désormais, ils doivent apprendre à être beaux joueurs, et cette transition sera très difficile, d'autant qu'ils sont morts.»

Le film montrait alors les deux «compères» sur le terrain de jeux d'une école. Deux parties de kickball se déroulaient de part et d'autre de l'écran : l'une composée de joueurs bien vivants, l'autre de joueurs morts. La caméra se focalisait sur le match des vivants ; le tableau des résultats affichait que le coup allait être décisif.

«Aujourd'hui, Butch et Billy doivent apprendre la télékinésie.»

Cependant que le narrateur poursuivait son récit, la définition de ce terme apparaissait à l'écran. «Télékinésie : l'un des pouvoirs essentiels de l'esprit, à travers une simple partie de kickball.»

La balle roula en direction du frappeur, qui l'envoya très loin dans le champ extérieur. Butch utilisa ses pouvoirs de télékinésie pour propulser la balle par-dessus la tête du joueur de terrain extérieur, afin que ce dernier puisse l'attraper, mais son intervention permit au contraire au coureur d'atteindre le but avant que la balle fût rattrapée. L'équipe perdante s'éloigna, triste et amère, comme Butch demeurait planté sur place à

attendre, la balle dans la main, le cœur lourd. Butch lança alors très loin la balle, d'énervement, puis s'enfuit, honteux.

«Que se passe-t-il, Butch? Il semblerait que tu aies déraillé, là?», persiflait le narrateur, tandis que Butch disparaissait à l'arrière-plan.

Pendant ce temps, le joueur de terrain extérieur qui avait raté la balle s'asseyait sur le banc, seul, et se mettait à pleurer.

«Maintenant, regardez Billy. Il joue avec les morts», annonça le narrateur avec enthousiasme.

Sur le terrain des morts, la situation était la même. Billy se trouvait en troisième base. La balle qui roulait vers la zone de frappe fut envoyée en direction du terrain entre le joueur de troisième base et le bloqueur. Billy s'avança près de la balle, utilisant ses pouvoirs pour la guider dans les mains de l'arrêt-court plutôt que d'essayer de s'attirer la vedette. L'arrêt-court faisait un double jeu! La partie était terminée, l'équipe de Billy avait gagné! La foule en délire se mettait à hurler. Les joueurs formèrent un cercle, levant les mains pour célébrer la victoire, poussant des cris de joie, soulevant Billy au-dessus de la foule.

«Voilà, Billy, c'est bien. C'est ça! applaudissait le narrateur. Pourquoi, me direz-vous, cela a-t-il marché pour Billy et non pour Butch? Eh bien, Butch était encore à ses vieux démons, il n'utilisait ses pouvoirs que pour rester en contact avec les vivants, mais Billy, lui, a su dépasser son égoïsme et se servir de ses pouvoirs pour mener son équipe à la victoire.»

Les deux compères disparaissaient ensuite pour laisser place à Susan Jane, de nouveau assise à son vieux bureau.

«Susan Jane, penches-tu plus vers Butch ou bien vers Billy?», demandait le narrateur.

Susan Jane haussait les épaules, et les deux garçons réapparaissaient à ses côtés. Billy recevait son diplôme, tandis que

Butch montrait aux spectateurs son bulletin, marqué d'un gros « 0 ».

« Souvenez-vous : ces dons doivent être utilisés uniquement pour rechercher une solution, afin de passer de l'autre côté. Votre professeur vous apprendra ces divers tours, mais c'est à vous qu'il revient de les utiliser à bon escient. »

La musique s'amplifiait tandis que le manuel se refermait. Le mot « FIN » s'inscrivait sur la quatrième de couverture.

Mike ralluma les lumières quand la pellicule se détacha de la première bobine dans un claquement métallique.

– Des questions ? demanda M. Cerveau, en s'adressant spécifiquement à Charlotte.

– Comment savons-nous quel doit être notre but ?

– Tout le monde est réuni dans cette classe pour une raison bien précise. Vous avez tous un problème que vous devrez résoudre avant de passer de l'autre côté.

La cloche sonna. Charlotte demeura assise sur sa chaise. Elle ne savait plus très bien si elle devait se relever, au risque de se mettre dans une situation embarrassante, comme lorsqu'elle s'était hâtée de sortir pendant l'alerte d'incendie. Quand les premiers élèves quittèrent la classe, elle se mit à rassembler ses affaires pour les suivre, tout en réfléchissant aux propos de Cerveau.

– Les enfants ! Au travail ! Réunion ce soir au manoir des Aubépines, à sept heures pile. Et vous êtes priés de vous y rendre ! leur hurla M. Cerveau comme ils se précipitaient dans le couloir.

« Au travail ? » s'interrogea Charlotte.

6

La mort et la drague

L'endroit était magnifique
Mais personne n'y prêtait attention
Car chacun dans l'île disait :
Regardez-moi ! Regardez-moi !

Laurie Anderson.

S'identifier.

---•◆•---

Charlotte n'avait jamais vraiment su qui
elle était. Pas avant, et encore moins
maintenant. Mais elle avait toujours su
ce qu'elle voulait devenir. L'ennui, au
lycée, c'est que personne ne s'intéresse
à ce que vous êtes. On préfère s'en tenir
à ce que vous n'êtes pas. Plus facile
ainsi de vous glisser dans telle ou telle
catégorie. Charlotte avait été classée
dans celle des «Sans intérêt», mais tout
cela allait changer, si elle pouvait y
mettre son grain de sel. Elle s'apprêtait
à voir le monde à travers les yeux de
quelqu'un d'autre. N'importe qui, mais
pas les siens.

carlet, la petite sœur de Pétula, eut la surprise d'être convoquée au bureau du journal du lycée, afin d'y rédiger une rubrique nécrologique, sa toute première, concernant «une certaine fille qui était morte à l'école». Elle s'y rendit, aussi soucieuse de cette mission qu'on lui confiait que de sa rencontre avec M. Filosa, le vieux dur à cuire qui s'occupait de la feuille de chou, pardon, du journal de l'école, comme s'il s'agissait d'un grand quotidien national.

— Où donc étiez-vous, Kensington ? fit remarquer M. Filosa, impatient. On est morts si on ne publie pas à temps cette rubrique nécrologique.

— Il y a une blague là-dedans, je le sais, glissa Scarlet. On est morts... Rubrique nécrologique... Voyons...

Filosa ne parut guère impressionné par le sens de l'humour de Scarlet ni par son aplomb.

— Vous n'avez pas très envie de le faire, c'est ça ?

— Eh bien, maintenant que vous le dites, en effet... Qu'est-ce que je fais dans la rubrique «Clamsés» ? demanda-t-elle. Je croyais que j'étais censée rédiger des critiques de musique !

– Vous voulez rire ? gronda-t-il en la dévisageant des pieds à la tête. Vous êtes faite pour cela !

– Je n'ai jamais eu à en rédiger, rétorqua Scarlet, témoignant curieusement d'un manque de confiance en elle. Et puis, j'suis pas très douée pour dire du bien des gens que j'connais pas. Ni des gens que je connais, d'ailleurs.

– C'est ça, c'est ça, Kensington. Bigre ! Faire quelque chose de gentil pour quelqu'un d'autre, ça vous changera, aboya Filosa. Voilà les photos de… euh… Quel était son nom, déjà ? Usher, oui ! Donc, les photos de la cérémonie organisée ce matin en mémoire de la petite Usher. Vous trouverez la page sur l'ordinateur, ajouta-t-il en attrapant son chapeau de paille et sa veste de tweed, avant de sortir en claquant la porte.

Scarlet s'assit devant l'ordinateur, les yeux rivés sur le curseur qui clignotait. Pas une idée ne lui venait. Elle mit son chapeau de feutre, orné d'épingles à nourrice tout autour du bord, cherchant l'inspiration, puis ouvrit le dossier JPEG contenant les photos de la cérémonie. Il n'y avait pas âme qui vive sur ces clichés.

– Où sont-ils tous ? demanda Scarlet, un soupçon de pitié dans la voix.

Elle parcourut alors le rapport de police, à la recherche du peu d'informations à glaner dans le dossier officiel. Découvrant son portrait, elle bondit sur sa chaise.

– Oh, non ! Cette fille… C'est celle que j'ai envoyée balader, l'autre jour…

Scarlet contempla la photographie quelques instants, en guise d'hommage à celle qu'elle avait rabrouée si brusquement quelques jours plus tôt. Elle décida qu'une belle rubrique nécrologique lui permettrait de s'excuser dans les formes. Même si cela devait rester sommaire.

- Bon, ta vie est entre mes mains, désormais, dit-elle en se mettant à écrire.

Charlotte était rassurée : s'il fallait en passer par l'école, il y aurait forcément une étape cafétéria. Un temps hors de cette classe, pour se retrouver et respirer. Un temps pour tout arrêter, pour digérer la première partie de la journée. Tout arrêter ? Sauf cette hiérarchie universelle, nulle part plus évidente que dans les cafétérias de tous les lycées.

Cela n'échappa point à Charlotte lorsqu'elle pénétra dans la pièce derrière Piccolo Pam. La cafétéria du lycée des Aubépines lui avait toujours fait penser à une grande surface, délimitée en départements spécifiques. Facile pour se repérer dans l'espace. Pas tellement de mélanges. Ceux qui étaient populaires ici, les cerveaux là, les sportifs là-bas, et les fumeurs plus loin. En cours, l'intégration était pratiquement inévitable, voire obligatoire, grâce à l'ordre alphabétique selon lequel on devait s'asseoir. Mais à la cafétéria, on avait le choix. Et quoi de plus définitif que de s'asseoir ici ou là ?

Une fois qu'on avait décidé de qui l'on était, ou, plus exactement, une fois que Pétula en avait décidé, il était facile de trouver sa place. À bien y regarder, ce qui lui avait alors paru si cruel et si intentionnel lui paraissait maintenant totalement naturel. Qui se ressemble s'assemble, en fin de compte. Ou bien la mort l'avait-elle rendue moins envieuse ?

- Les gens ne sont pas des aimants, dit Charlotte à voix haute, puis, remarquant son étourderie, elle mit rapidement la main à la bouche pour ravaler ses paroles.

- Ne t'inquiète pas, lui souffla Pam. Ils ne t'entendent pas.

- Je suis habituée, répondit-elle, sarcastique.

Comme elle parcourait la salle du regard, elle remarqua que tout le monde était là. Incroyable ! Lorsqu'elle était encore en vie, jamais elle ne mangeait à treize heures. Toujours à midi. Morte, elle avait ENFIN cette chance. Déjeuner en même temps que Damen ! Oh, quelle douce mort ! Au moins un truc agréable là-dedans.

Distraite, Charlotte ne vit pas qu'elle fonçait droit sur un garçon qui allait à sa table, un plateau dans les mains. Pour être exact, ce fut comme si elle passait à travers son corps. Piccolo Pam bondit pour l'attraper par le bras, afin d'éviter la confrontation.

– Non ! s'écria-t-elle.

Mais trop tard.

L'effroi se lut sur le visage du garçon, qui se figea un instant sur place, lâcha son plateau, regarda autour de lui les yeux exorbités, comme un lapin pris dans les phares d'une voiture, avant de s'enfuir par la porte de sortie. Ses traits étaient tellement crispés qu'il en devenait presque comique. Lorsqu'il fit tomber son plateau, tous, dans la cafétéria, se mirent à rire et applaudir, prenant bien soin de l'humilier tout à fait, comme seuls les élèves de lycée savent le faire.

– Il ne faut JAMAIS se mêler aux vivants ! lui dit Pam, avec froideur.

– Pardon ?

– Entrer en contact avec les vivants, de quelque manière que ce soit, est strictement interdit. La plupart d'entre nous le sentent d'instinct, en arrivant…

Charlotte reçut cette pique inattendue de Pam en plein cœur.

– Pourquoi ? demanda-t-elle innocemment. Nous les voyons. Nous les entendons. Pourquoi ne pourraient-ils pas nous sentir ?

– Nous coexistons avec eux, mais sur deux plans de réalité différents. Ils ne sont rien pour nous, et vice versa.

– Pour moi, ils sont importants.

– Tu n'as pas vu ce qui vient de se passer ? Il faut que tu gardes tes sentiments pour toi.

– D'accord, répondit-elle timidement.

Alors, tirant Charlotte par la manche pour l'éloigner des tables où déjeunaient les élèves, Pam reprit :

– Là, c'est notre place.

«Là» : une file particulière de la cafétéria, où Charlotte n'était jamais allée auparavant. Une queue réservée aux morts. Invisible aux yeux des vivants.

– Et ça, c'est pas de la ségrégation ? demanda Charlotte.

Mais Pam ne prit pas la peine de lui répondre. Elle était trop occupée à remplir son plateau de plats plus gras et plus sucrés les uns que les autres.

Une jeune fille, surnommée Kim, essaya de se faufiler dans la queue. Elle avait de longs cheveux brillants, un très beau profil et l'air extrêmement tendu, comme si quelque chose la préoccupait et qu'elle était très pressée – ce qui ne manquait pas de surprendre, vu les circonstances. Elle arborait également tout un arsenal de téléphones portables. Comme Charlotte n'avançait pas assez vite, Kim s'énerva.

– Tu ne peux pas te grouiller, lui lança-t-elle avec méchanceté. Je suis en retard, et j'attends un coup de fil super important !

Charlotte remarqua alors que quelque chose venait de tomber dans le plateau de Kim. Un bout de peau. De la peau brûlée, décomposée. Charlotte recula pour laisser autant de place à Kim qu'elle le souhaitait, affichant ce grand sourire forcé qu'on a quand on cherche à se retenir de vomir.

Mais, surgie de nulle part, une sonnerie de portable vint dissiper la nausée de Charlotte. Elle regarda derrière elle, mit

la main à sa poche par réflexe, surprise même d'entendre un tel bruit en un endroit pareil.

– Quelqu'un va répondre, non? demanda-t-elle pour plaisanter.

– C'est pour moi, dit Kim en tournant la tête de l'autre côté.

Un portable lui sortait de la joue : il était pris dans les chairs de la blessure qui lui fendait le visage de la tempe jusqu'à la mâchoire. Les radiations avaient apparemment mangé la peau jusqu'au cou. Celle-ci était à vif, sanguinolente.

– Quand on dit qu'on a tous un côté obscur..., murmura Charlotte à l'intention de Pam.

– Elle a ignoré les mises en garde au sujet d'une utilisation abusive du portable, et regarde où ça l'a menée. Son problème, à elle, c'est d'apprendre à écouter quand on lui dit quelque chose, et d'essayer de réfréner son impulsivité.

– Je croyais que c'était un mythe, cette histoire de radiations, dit Charlotte.

– Eh bien, apparemment non, répondit Pam en secouant la tête, témoignant de sa compassion à l'égard de Kim, qui papotait gaiement au téléphone.

Charlotte tenta de changer de sujet, sans pouvoir détourner les yeux de Kim.

– Attends, dit brutalement cette dernière à l'amie qu'elle avait en ligne, lançant un regard assassin à Charlotte. T'as besoin d'aide?

– Non, non, ça ira.

– Ah, ces nouveaux, souffla Kim en levant les yeux au ciel avant de reprendre son monologue.

– Je ne comprends pas ce truc, là, d'avoir à résoudre un problème. Je n'en ai peut-être pas? demanda Charlotte à Pam.

— Les problèmes, poulette, c'est comme les trous au cul : on en a tous.

— Sans blague ? reprit Charlotte, cherchant en son for intérieur quels problèmes Pétula et les deux Wendy pouvaient bien avoir dans la vie, à part de dégoter un rendez-vous chez l'esthéticienne quand il leur prenait l'envie de se faire faire le maillot un dimanche.

— Regarde DJ, par exemple, fit Pam en désignant la table des garçons du côté des morts. Il a l'air cool, n'est-ce pas ? On ne se doute pas qu'il en trimballe tant que ça.

— Vrai, acquiesça Charlotte.

— Grave erreur. Il se considérait comme un grand artiste, et il a refusé de passer des morceaux connus de tout le monde à cette grande fête qu'on lui avait demandé d'animer.

— Alors personne ne dansait, et...

— Et quelqu'un a pété un câble. Il y a eu du grabuge. DJ s'est retrouvé mêlé à la bagarre... Il a pris dix balles, dont une plus grosse qu'une pièce de cinquante cents.

— Un record qu'on n'a pas envie de battre, souffla Charlotte, compatissante.

— Non, en effet. C'est son arrogance qui l'a tué.

— Plus de breakdance pour DJ, conclut Charlotte, qui commençait à entrevoir ce que Pam voulait lui expliquer.

Comme elles avançaient le long de la file, Charlotte parcourut du regard toutes les victuailles qui s'offraient à elles : étalage de charcuteries, graisses saturées et produits sucrés à foison. Pizzas, burgers, frites, pancakes, saucisses en beignet, carrés de gélatine, crème fouettée, chips de pomme de terre et de maïs, biscuits frits fourrés, Fluff[1], crèmes au chocolat, sirop d'érable, fromages fondus. Rien que du bon.

---

1. Pâte à tartiner à base de marshmallow, spécialité américaine très très sucrée. *(N.D.T.)*

L'antre de Willy Wonka[1]. À peu près tout ce qui faisait grossir à votre disposition.

Les dames de cantine du coin des morts portaient un uniforme très serré, à la différence des seules protections pour les cheveux qu'avaient les vivantes. Sûrement pour éviter, songeait Charlotte, que des morceaux de peau ne tombent dans les plats pendant qu'elles préparaient ces denrées délicieusement écœurantes. Les boissons servies étaient toutes des sodas ultrasucrés, des marques qu'on ne trouvait plus maintenant que sur des tee-shirts branchés. Délicieux, mais... tout simplement passés de mode. Définitivement rien à voir avec les pitas de farine complète et la panoplie de salades légères qui se trouvaient sur les rayonnages côté vivants.

Charlotte chargea son plateau d'assiettes, accroissant à mesure son sentiment de culpabilité. Qu'allaient penser ses modèles anorexiques, Pétula et les deux Wendy? Elles qui étaient obsédées par leur indice de masse corporelle, quand d'autres s'inquiétaient de leurs résultats scolaires pour leur dossier d'entrée en grandes écoles...

Mais qui se souciait de cela, désormais? Qu'est-ce que ça pouvait bien lui faire? La tuer? Contrôler l'équilibre de son alimentation n'était plus tout à fait d'une importance capitale.

Une vague de dépression la submergea de nouveau. Y avait-il quelque chose qui comptait, maintenant? Elle décida de balayer cette angoisse et de prendre tout ce que les dames de cantine avaient à lui proposer. Toutes ses bonnes résolutions, ses efforts (changer, faire un régime, de l'exercice, et tout le tralala) étaient destinés à Damen. Une cause perdue. Après tout, à quoi bon avoir un beau corps quand on est morte?

---

1. Patron de la chocolaterie dans le roman de Roald Dahl, *Charlie et la chocolaterie*.

« Ce n'est pas tant que plus rien ne compte, Charlotte, lui expliqua Pam par télépathie, car elle était déjà au bout de la file. C'est juste que t'as d'autres priorités, dorénavant. Un but différent. »

– Lequel ? demanda Charlotte à voix haute, effrayée.

Elle commençait à avoir envie que tout ceci se termine, en particulier cette habitude qu'avaient les morts de lire dans ses pensées. C'était tellement intrusif. D'abord Prue, Cerveau, et maintenant Pam. Elle se concentra pour chasser cette pensée, afin de ne pas blesser son amie. Le bon sens de celle-ci lui était tout de même utile, dans ces circonstances. Mais plus elle y songeait, plus elle détestait Pam et cette manie qu'ils avaient tous de s'immiscer dans son intimité. Devinant le malaise de Charlotte, Pam lui fit un signe enjoué pour l'inviter à la rejoindre, cherchant à détendre l'atmosphère.

– Hé, c'est ton premier repas en tant que morte. Je te l'offre ! plaisanta Pam pour tenter d'enrayer le flot obsédant d'idées noires qui tournoyaient dans l'esprit de Charlotte.

Elle la conduisit vers une table située dans un coin de la pièce et s'assit. Charlotte hésita.

– Il y a quelqu'un, ici ? demanda-t-elle en indiquant le siège à côté de Pam.

– Oui. Toi, répondit cette dernière.

Charlotte n'était pas habituée à ce type de réponse. D'ordinaire, elle parcourait la salle de long en large, son plateau dans les mains, durant un temps interminable, à la recherche d'une place.

– Ne t'inquiète pas. Tu finiras par t'adapter, lui dit Pam, devinant ses pensées.

– J'ai déjà essayé une fois, et j'en suis morte.

Les deux jeunes filles remarquèrent à la table voisine une fille assise seule, penchée sur son assiette, qui remontait les

manches de son pull immense pour inspecter les cicatrices sur ses poignets et ses avant-bras.

– Que lui est-il arrivé? demanda Charlotte, sarcastique. Est-ce qu'elle s'est grattée à mort?

– Suzy? Elle avait l'habitude de se faire des incisions. Tu sais, de se taillader avec la pointe d'un compas ou la lame d'un cutter, mais en surface seulement.

– Ou du moins, c'est ce qu'elle croyait...

– Ouais. Un appel à l'aide qui a mal tourné, poursuivit Pam. Elle s'est coupée un peu trop profondément. Elle a fini par aller à l'hôpital, et là, elle a attrapé une infection... Un staphylocoque résistant aux antibiotiques.

– Elle a l'air tellement secrète... et si triste!

– Oui. Elle est là pour apprendre à se mêler aux autres. Faire les choses à moitié, comme ça, peut s'avérer dangereux.

Elles hochèrent la tête, puis reportèrent leur attention sur ce qui se trouvait dans leurs assiettes, remarquant à peine une autre jeune fille qui se tenait debout devant elles. Une fille squelettique, à l'allure branchée avec ses énormes lunettes de soleil, sa robe vintage et son collier Chanel. Sur son plateau, une petite portion de noix mélangées et un espresso.

– Salut, Coco, dit Pam. En retard, comme c'est la mode, hein?

– Oui, c'est comme ça, avec moi. Y a de la place pour une troisième? demanda-t-elle pour la forme, entre ses mâchoires serrées.

– Une vraie victime de la mode, murmura Pam.

– Ah? Elle s'est fait piétiner pendant une vente privée?

– Non. Remarque, elle est bien bonne, celle-là. Mais ce qui lui est arrivé est pire, reprit-elle en se penchant pour lui parler à l'oreille. Elle a trop bu, lors d'une soirée. Elle a attrapé un énorme sac à main pour vomir dedans, et elle

s'est évanouie. Noyée dans son propre vomi. Comme quoi! Pas toujours le top de choisir ce qu'il y a de plus gros… Que son âme repose en Prada, conclut-elle d'un air moqueur, comme Coco s'asseyait à ses côtés.

Coco se mit aussitôt à dévorer la pile de ragots tirés des blogs qu'elle avait imprimés en ouvrant une bouteille de soda light, qu'elle versa dans sa tasse à café.

— Alors, qu'est-ce qui t'est arrivé, exactement? demanda Pam à Charlotte.

Coco faisait mine de ne pas s'intéresser à la conversation en se cachant derrière les verres de ses grosses lunettes, sans pouvoir résister à la tentation de tendre l'oreille. Des fois qu'il s'agisse d'un nouveau ragot juteux…

— Ce qui s'est passé, c'est que mes rêves commençaient à devenir réalité…

— Et?

— J'ai été désignée pour être la partenaire de laboratoire de Damen. Le mec le plus mignon du lycée. Je rêvais de… Bref, je pensais que s'il apprenait à me connaître, il pourrait…

Charlotte se tut, comme l'émotion lui commandait de s'éclaircir la gorge.

— Continue! explosa Coco, ce qui lui valut des regards mauvais de la part de Charlotte comme de Pam.

— Eh bien… qu'il pourrait m'inviter au bal de l'Automne au lieu d'y aller avec sa petite amie, Pétula, reprit Charlotte en toussant légèrement.

— C'est tout? fit Coco, déçue, en se levant de table.

Elle laissa derrière elle son plateau, attendant comme à son habitude que les autres le rangent pour elle.

Pam adressa à Charlotte un regard impatient; elle semblait penser qu'il y avait une suite à son récit. Mais non.

— Alors comme ça, ce type a déjà une petite amie? Bah, c'est que ça ne devait pas se faire, voilà tout.

Au même instant, Damen passait devant elles, et renversait son plateau par terre, à cause du coup de coude donné par l'un de ses copains. Charlotte n'eut pas le temps de se sentir froissée par la remarque de Pam : l'éclat de rire de Damen avait détourné son attention.

– Tu sais, Pam, je n'ai jamais cru à ces histoires de destin, reprit-elle en élevant la voix, martelant chacun de ses mots. Pour moi, c'est des conneries qu'on se raconte pour justifier nos échecs. Vraiment n'importe quoi. Comme si on ne pouvait rien faire…

– Pas tout à fait. Le destin n'est pas qu'une question de circonstances. Tout est prédéterminé. Le sort ne peut pas être modifié. Point final. C'est pour ça que ça s'appelle le destin.

– Voilà ! s'exclama Charlotte, luttant pour parler entre deux quintes de toux.

– Quoi ?

– Il m'a fait un sourire, juste avant que je meure… On était sur le point de faire connaissance. J'allais avoir ma chance… Peut-être que… il aurait fini par m'inviter à cette soirée… Le destin !

– Qu'est-ce que tu racontes ? lui demanda Pam, perplexe maintenant.

– Je veux dire que… Damen… et moi…

Mais Charlotte s'étouffait. Pam fut obligée de lui donner de grandes tapes dans le dos.

– Peut-être qu'on était destinés à finir ensemble…, parvint-elle finalement à cracher.

– Tu disais pourtant tout à l'heure que tu ne croyais pas au destin ? lui remémora Pam, qui s'efforçait d'accueillir cette révélation saugrenue.

– Et toi, tu disais que c'était vrai ?

Damen repassa devant elles pour retourner à sa table. Charlotte ne le quittait pas des yeux. Elle faisait songer à

une acheteuse sur eBay qui aurait flairé un coup pour mettre la main sur un sac Chloé pas cher.

— Tu n'as jamais pensé que le destin ait pu intervenir pour t'écarter, en voulant ta mort ?

Charlotte, perdue dans ses pensées, ne répondit pas. Inquiète devant la persistance de son amie à refuser de voir la réalité, Pam décida d'intervenir.

— Charlotte, tu as un autre très gros problème, dit-elle soudain en se dressant sur sa chaise et en se mettant à hurler de toutes ses forces : DAMEN ! OUH OUH, DAMEN !

— Non, non, Pam ! S'il te plaît !

Mais plus elle la suppliait, plus Pam faisait de grands gestes. La honte ! Et plus elle s'excitait, plus le petit sifflement dans le fond de sa gorge devenait aigu.

Charlotte s'attendait à voir Damen débouler vers elles, hors de lui. Mais non. Il ne réagissait pas. Personne ne semblait avoir rien remarqué, d'ailleurs.

— Les choses sont différentes, maintenant, Charlotte, dit Pam en se rasseyant. Il ne s'agit pas de sortir avec lui. Il ne te voit même pas. » L'agacement disparut dans sa voix, se muant en un ton plus doux. « Il faut que tu l'acceptes, dit-elle en tendant la main pour caresser l'épaule de son amie. Ce n'est pas pour rien qu'on parle de *vie* amoureuse. L'amour, c'est pour les vivants. »

Au lieu de paraître déçue ou même abattue, Charlotte s'anima. Un éclair s'alluma dans ses yeux, comme si elle venait de résoudre l'énigme du Sphinx.

— Tu as raison ! proclama-t-elle en se penchant vers Pam pour déposer un gros baiser sur sa joue. Il ne peut même pas me voir !

7

Il ne sait même pas que je suis en vie

La pire façon de rater quelqu'un,
c'est d'être assis juste à côté de cette personne,
en sachant très bien qu'on ne peut pas l'avoir.

Anonyme.

Être amoureux de quelqu'un qui ne sait même pas qu'on existe n'est pas le pire.

En fait, c'est même le contraire. C'est presque comme de passer un examen final, et de sortir persuadé de l'avoir raté, sans avoir reçu sa note. On est comme en suspens, pas encore recalé, même si on sait pertinemment ce qui va se passer ensuite. En ce qui concernait Damen, Charlotte préférait attendre aussi longtemps que possible qu'on lui rende sa copie.

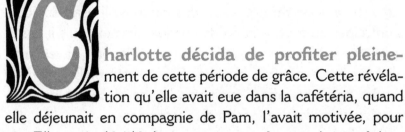

Charlotte décida de profiter pleinement de cette période de grâce. Cette révélation qu'elle avait eue dans la cafétéria, quand
elle déjeunait en compagnie de Pam, l'avait motivée, pour
sûr. Elle avait décidé de renverser cet énorme inconvénient
– sa mort – en avantage : elle allait enfin pouvoir se rapprocher de Damen. Incapable de la voir, il ne pourrait se plaindre
qu'elle envahissait son espace vital. Elle pouvait faire à peu
près tout ce qu'elle voulait sans se faire remarquer. Elle allait
«tenter une approche», au sens propre du terme.

– Ses cours, son casier, sa voiture, ses tiroirs! s'écria-t-elle
avant de s'arrêter dans son élan. Enfin, ses tiroirs... Je ne
vais pas non plus fouiller dans ses slips!

Elle rougit, autant que le pouvait une morte, surprise, un
peu honteuse aussi de découvrir à quel point elle se révélait
calculatrice. Elle brûlait de parler de son plan à quelqu'un.
Hélas, c'était impossible.

Charlotte se sentait plus puissante que jamais. Une vraie
renaissance. Oui, la possibilité de le suivre partout, à l'infini,

était presque enivrante. Il y avait ce *presque*... Balayant bien vite le scrupule qui obscurcissait sa joie (car c'était tout de même effrayant que de pénétrer son intimité), elle décida égoïstement et sans vergogne de mettre son plan à exécution, quand elle vit Damen qui débouchait dans le couloir.

Partout où se rendait Damen, elle le suivit : à son casier, où elle se glissa (pas si inconfortable qu'on le penserait au premier abord) ; en étude, où elle le regarda s'endormir, de la chaise d'à côté. Elle posa même sa tête sur son épaule, jusqu'à ce qu'il se réveille dans un sursaut, frissonnant légèrement à son contact. Elle le suivit aussi jusque dans les vestiaires, le temple sacré des garçons. Il allait toujours s'entraîner au foot, à la fin de chaque journée, puis il faisait quelques exercices en salle de musculation, et ensuite, alléluia, il prenait une douche. Elle se débrouilla pour s'y rendre avant lui, afin d'avoir une bonne place. La mort lui paraissait soudain beaucoup plus attrayante.

Charlotte attendit patiemment à l'extérieur du gymnase, pour une raison qui lui échappait. Elle aurait pu se faufiler à l'intérieur, en passant par le ventilateur, ou même à travers la porte des vestiaires directement, mais non. Au contraire, elle entra derrière des garçons, venus ce soir-là un peu plus tôt, et pénétra dans les vestiaires avec un mélange d'angoisse et de curiosité. C'était, après tout, un territoire encore vierge pour elle.

Elle n'avait pas nécessairement l'intention de l'espionner nu ; elle voulait simplement en voir plus. Damen arriva et balança son sac Adidas noir et blanc sur le banc. Charlotte s'assit à ses côtés, le cœur battant d'impatience, comme s'il s'agissait de son premier concert de rock. Elle voulait voir ses bras, ses épaules, son torse, de près.

Elle était bien un peu honteuse de s'abaisser au voyeurisme, mais elle ne se laissa pas démonter. Son intention n'était pas

mauvaise. Elle voulait seulement l'approcher de manière moins formelle, plus intime. Qu'y avait-il de mal à cela, après tout? Ce n'était pas comme s'il pouvait l'apprendre un jour! Et puis, ils avaient déjà *couché ensemble* en étude. «Enfin, si on veut...», se sentit-elle obligée d'ajouter pour elle-même.

L'odeur de vapeur humide, de chaussettes sales et d'aisselles en sueur ne put la dissuader même si elle faillit céder à l'écœurement.

Damen attrapa son cadenas, fit la combinaison. Le casier s'ouvrit. Peut-être était-ce dû au cliquetis de la porte, elle l'ignorait, mais elle se sentit soudain extrêmement nerveuse lorsqu'il croisa les bras devant lui pour ôter son sweat à capuche, révélant la splendeur renversante qu'il dissimulait. Le tee-shirt était si moulant qu'au travers elle pouvait admirer chacune des barres de chocolat de son ventre magnifiquement sculpté.

Il était grand, mince et musclé – une carrure à faire tomber les filles. Ses bras étaient solides, sans être gros; le genre de bras dans lesquels on devait se sentir en sécurité. Elle brûlait de poser sa tête contre son cœur, mais elle avait peur qu'il ait de nouveau un frisson, et qu'il renfile trop tôt son sweat. Damen, cependant, continua à se déshabiller, pour le plus grand plaisir de Charlotte. Elle avait tellement rêvé de le surprendre ainsi dans son intimité! Elle ressentit le besoin de fermer les yeux, de manière à s'imprégner de cette scène.

Damen ôta ses chaussures, et, tandis qu'il se penchait pour dénouer ses lacets, les muscles de ses épaules se contractèrent. L'envie d'être enveloppée par ces bras-là la torturait. Il sortit son jogging de son sac de sport et déboutonna sa braguette. Charlotte était littéralement folle.

– Slip, ou caleçon? s'interrogea-t-elle, secouant nerveusement les jambes sous le banc.

La réponse ne se fit point attendre. Son pantalon tombait à ses pieds ; il leva la jambe gauche, puis la droite pour se libérer de son jean qui gisait en tas à ses chevilles, révélant son caleçon de tartan. Légèrement trop grand, mais, heureusement, pas comme ceux des rappeurs. Rien de prétentieux. Modeste, et même un rien traditionnel. Tout comme Damen.

L'enchantement se rompit quand elle vit deux garçons s'approcher du casier à côté du sien. Elle entendit un grognement.

– Chat-bite !

C'était Bradley Grayson, un joueur de hockey de première année qui adorait crâner devant tout le monde. Sans crier gare, il se précipita pour tâter les bourses de Sam Wolfe. Le truc le plus humiliant qu'on puisse faire à un mec.

Ce dernier, qui était nu, se recroquevilla, les mains repliées sur son sexe. Plié en deux, il tournait le dos à Charlotte, qui se retrouva «nez à nez» avec ses fesses velues de yéti et couvertes de boutons.

Le cauchemar de toutes les filles, devenu soudain réalité. Les portes de l'enfer s'étaient ouvertes. Jamais, au grand jamais, elle ne pourrait connaître un moment de plaisir sans plonger dans un océan de douleur. Quelques secondes de Damen pour une éternité de Sam. OK : elle avait capté le message.

Mais elle n'était pas au bout de ses peines. Dans son mouvement de recul pour protéger son intimité, Sam lâcha bien malgré lui un petit nuage de gaz sulfureux. Pour la toute première fois, Charlotte se sentit infiniment heureuse d'être morte, car il sentait aussi mauvais qu'il était poilu. Était-il possible de mourir deux fois de suite ?

Elle avait de la pitié pour Sam. Damen aussi, à en croire l'expression qui se lisait sur ses traits. Brad, quant à lui, s'éloignait en ricanant tel le gros débile qu'il était. Charlotte,

au bord de la nausée, se précipita pour sortir par la fenêtre juste au-dessus du casier de Damen. Son mouvement suscita un petit courant d'air dans les vapeurs humides de la pièce. Damen le sentit. Il eut l'air un peu effrayé, mais cligna des paupières et secoua la tête. Un rêve, sans doute. Il se dirigea alors vers la salle de sport.

Charlotte était dégoûtée, mais non découragée. Loin de là. Elle attendit dehors la fin de l'entraînement, espérant profiter de la voiture de Damen pour rentrer à la maison. Chez lui. Enfin, Damen sortit du gymnase et traversa le parking, son sac sur l'épaule. Il fouilla dans ses poches, à la recherche des clefs de sa décapotable rouge. Avant même qu'il ait ouvert sa portière, Charlotte sautait à la place du passager, à l'avant. Elle allait s'attacher lorsqu'elle se rendit compte qu'elle n'en avait plus besoin désormais. Elle s'abandonna alors sur le siège, tout à fait décontractée.

– L'avantage de la mort. Alors, qu'est-ce que tu choisis ? La place du mort, ou la tienne ? demanda-t-elle, sarcastique, à Damen qui bouclait sa ceinture.

De toute évidence, il ne pouvait pas l'entendre, mais le fait qu'il ne lui réponde pas la blessa un peu. Cependant, toute cette histoire l'amusait beaucoup. Elle était à côté de Damen, dans sa voiture de sport, et en d'autres circonstances, cela aurait suscité chez les autres filles une jalousie astronomique. Pétula, en ce qui la concernait, serait sans doute allée jusqu'au meurtre.

Oui, n'importe quelle fille mourait d'envie de se trouver à sa place ; sauf que, dans son cas, il lui avait fallu mourir en vrai pour réaliser ce rêve. Charlotte écarta cette idée douloureuse, décidant pour l'heure de continuer à jouer à être «sa petite amie».

– Ta petite amie, oui, dit Charlotte au moment où Damen démarrait, quittant la place de parking qui lui était réservée.

En conduisant, Damen souleva son bras droit et vint le poser sur le siège à ses côtés. S'imaginant qu'il lui passait le bras autour du cou, Charlotte se redressa légèrement et se pencha vers lui. Elle n'en revenait pas. Comme elle se rapprochait, elle sentit que son bras s'abaissait, et que sa main descendait plus bas encore, sur son épaule et sur sa poitrine. Elle n'avait jamais été si proche de lui, ni même si intime avec personne jusqu'alors.

— Il n'essayerait pas de me peloter, là, par hasard? gloussa Charlotte tout haut, pleine d'espoir.

Rejetant la tête en arrière dans le vent, elle fut tirée de sa rêverie romantique par un petit air de flûte. Ses yeux s'écarquillèrent de peur.

— Mon Dieu, Pam! s'écria-t-elle en se retournant vers la banquette arrière.

Piccolo Pam la regardait comme une mère qui viendrait juste de descendre à la cave et qui, allumant les lumières, surprendrait sa fille en pleine action avec un garçon…

— Quoi? Il faut bien que je trouve une façon d'entrer en communication avec lui, non? dit-elle à Pam de son ton le plus persuasif. Peut-être que la mort pourra nous rapprocher.

— Ah. Donc maintenant tu penses que la mort va t'aider à avoir un petit copain? souffla Pam. Je serais curieuse d'entendre ce que diraient à ce sujet les filles qui se font refaire les seins, tiens!

Prenant conscience que Charlotte ne changerait pas d'avis, Pam leva les yeux au ciel et disparut aussi vite qu'elle était apparue. Manifestement, Charlotte était décidée à ne pas passer sa mort en tant que cinquième roue du carrosse.

Charlotte avait tellement hâte de voir où habitait Damen et de fouiller dans ses affaires personnelles qu'elle en avait oublié de considérer le fait qu'il ne se rendrait peut-être pas chez lui. Comme ils ralentissaient pour s'arrêter devant une

énorme villa, Charlotte remarqua que l'allée était vide. Ce n'était pas sa maison. C'était une maison devant laquelle Charlotte n'était passée que trop souvent, devant laquelle, trop souvent aussi, elle avait vu sa décapotable, garée tout un après-midi, et parfois toute la nuit.

Ce n'était pas n'importe quelle villa. C'était celle de Pétula.

Et s'il lui avait fallu une confirmation, elle vit Pétula qui accourait le long de l'allée de graviers à la rencontre de Damen.

– Dépêche-toi, mes parents vont bientôt rentrer ! dit-elle.

Sachant que ce n'était sans doute pas la meilleure idée du monde, Charlotte décida de les suivre. Elle s'engagea dans l'allée en courant, ignorant la nuée de corneilles qui était apparue sous ses yeux. Elle s'approcha de la porte, une seconde trop tard – de nouveau – pour voir Pétula qui la lui refermait juste sous le nez.

– Du déjà-vu...

Elle s'apprêtait à repartir, quand elle vit les oiseaux s'envoler, l'un d'eux lâchant une fiente liquide qui allait lui tomber sur le crâne. Charlotte ferma les yeux face à l'inéluctable. Mais, à sa grande surprise, rien ne se produisit. La fente lui passa à travers le corps pour s'écraser sur le perron ; une vague d'optimisme l'envahit.

« Mais bien sûr ! se dit-elle comme le souvenir lui revenait. Je suis morte ! »

Charlotte songea alors à la leçon d'orientation et aux premiers chapitres du *Manuel du savoir-vivre à l'usage des morts* tandis qu'elle se retournait vers la porte de Pétula. Elle n'avait fait que les feuilleter, et n'avait pas pris le temps de s'entraîner, mais le désespoir peut parfois donner la force de soulever des montagnes ; et Charlotte était, après tout, une personne assez résolue.

– Comment faire, déjà? se demanda-t-elle pour la forme. L'invisibilité? Non. La télékinésie? Non plus... Alors quoi? Oui! Se déplacer à travers les murs!

Prenant son courage à deux mains, Charlotte se mit en position devant la porte. Grâce à sa connaissance des propriétés des solides, sinon à son savoir-faire de fantôme, elle parviendrait certainement à s'en tirer. Du moins l'espérait-elle.

– Bon, fit-elle, plus l'objet est dense, moins il y a de vide entre ses molécules, et moins vite elles se déplacent. Et si je restais coincée? Mauvais... Très mauvais.

Charlotte décida que ce n'était pas le moment de débattre de densité moléculaire.

Elle se ressaisit, s'efforçant de se concentrer.

– Je vais y arriver, dit-elle en se remémorant les paroles du célèbre philosophe Bruce Lee : «Vide ton esprit. Débarrasse-toi de ta forme, de ton corps, comme si tu étais de l'eau.»

Il ne faisait certainement pas partie de l'école des Morts; il n'était pas non plus professeur de sciences, mais c'était le seul auquel elle pouvait penser, à la limite. Et puis, il était mort, lui aussi.

– Deviens la porte. Deviens la porte. Deviens la porte, se répéta-t-elle comme une litanie, tendant la main en direction de la porte, paume à plat.

À sa grande surprise, elle vit le bout de ses doigts, puis ses phalanges, ses poignets et ses coudes – tout son bras, tout son foutu bras! – passer à travers la porte! Puis sa jambe. Tout allait bien... Jusqu'à ce qu'elle engage son épaule... Là, elle se retrouva coincée. La moitié de son corps se trouvait à l'intérieur de la maison, l'autre à l'extérieur. Elle était enfermée. Enfermée dans une porte! Charlotte se débattit pour passer de l'autre côté, mais tous ses efforts se révélèrent vains.

– Merde !

Voilà tout ce qu'elle parvint à dire, comme elle mettait le pied dans la flaque de fiente fraîche.

C'était la merde, en effet. Se retrouver à moitié coincée dans une porte pour l'éternité n'était pas une perspective très réjouissante. L'ennui, avec cette technique pour entrer sans effraction quelque part, c'était qu'il fallait vraiment se dépêcher.

– J'espère que ça sera plus facile, avec le temps, grogna-t-elle tandis qu'elle parvenait enfin à se libérer.

Charlotte grimpa l'escalier, et se mit à la recherche de Damen et de Pétula. Entendant des voix derrière une porte au fond du couloir, elle se rapprocha. L'idée la traversa qu'elle commettait quelque chose d'un peu effrayant, avec cette intrusion, comme lorsqu'elle était entrée dans son casier, l'après-midi même. C'était un peu comme lire les mails de quelqu'un. Cependant, sa culpabilité n'allait certainement pas l'obliger à revenir sur ses pas. Elle passa la tête à travers la porte, cette fois avec moins d'effort.

C'était la chambre de Pétula. Le temple qui lui était consacré. À couper le souffle. Elle avait accroché des tonnes de portraits d'elle aux murs, avec d'autres photos beaucoup moins flatteuses de ses amies... Elle écrasait délibérément tout le monde de son éclatante beauté. C'était SA chambre, après tout. Damen, allongé sur son lit, regardait Pétula qui se pavanait devant son armoire en essayant des vêtements...

– Hé ! Tu sais, à propos de cette fille qui est morte, l'autre jour, à l'école..., lui lança-t-il.

– Il s'est souvenu ! s'exclama Charlotte, comme sa tête dépassait de la porte, tel un trophée sur un mur dans la maison d'un chasseur.

Pétula ne répondit pas. Impossible de dire si elle n'écoutait pas, ou si elle se moquait tout bonnement de ce qu'il était en

train de lui dire. Damen sauta alors du lit pour s'approcher de l'armoire, s'arrêtant devant le buste de couturière qui avait servi à concevoir et ajuster la robe de soirée de Pétula pour le bal de l'Automne. Il tritura quelques épingles, arracha quelques fils qui dépassaient et reprit :

— C'est elle… enfin, je veux dire, c'était elle mon partenaire de laboratoire, en physique… Bizarre, non ? demanda-t-il, une pointe de tristesse dans la voix.

Toujours pas de réaction.

Entre-temps, Charlotte était entrée dans la pièce et s'était approchée du buste près duquel se tenait Damen. Elle contourna le mannequin pour venir se placer en face de l'Homme de ses Rêves. Il n'y avait, entre elle et lui, que cet imbécile de torse en plastique et cette robe qui le recouvrait. D'un pas, Charlotte franchit la distance qui les séparait, traversant buste et robe.

— Jolie tenue, marmonna Damen en l'inspectant de plus près.

— Merci, répondit Charlotte d'une voix douce, en souriant.

Damen, un rien étourdi, s'attarda un instant de plus, penché sur le buste pour l'examiner avec intensité, puis se dirigea vers l'armoire.

Comme il s'éloignait, Charlotte vit le reflet de la robe dans la glace en pied qu'il lui cachait jusque-là. Pour la première fois, elle se sentit belle, comme elle s'était toujours imaginé qu'elle le serait si elle avait porté une tenue magnifique, très chère, et taillée sur mesure, tout comme Pétula. Cette idée la rendit profondément heureuse et triste en même temps. Soudain, elle remarqua que Damen avait les yeux rivés sur le miroir. Il demeurait figé. On aurait dit que sa mâchoire allait se décrocher, tant il semblait ébahi. Est-ce qu'il voyait lui aussi son reflet ?

Saisissant sa chance, elle courut vers l'armoire, souffla sur la glace et écrivit sur la buée : «Tu me vois?» Alors, de façon inattendue, Damen s'approcha, l'air ravi.

Mais ce n'était pas la phrase de Charlotte qu'il regardait. C'était Pétula, debout devant le miroir, en petite tenue, qui le faisait saliver. La buée s'estompa, et Charlotte surprit le couple enlacé qui s'embrassait goulûment. Charlotte resta paralysée sur place en voyant Pétula qui attirait à elle Damen en le dirigeant vers le lit.

Damen tenait dans ses mains une mèche blonde des cheveux de Pétula, qu'il enroulait dans ses doigts, se rapprochant d'elle un peu plus à chaque baiser, comme s'il voulait la manger tout entière.

Charlotte en avait le souffle coupé. Il y avait entre eux une telle tension... Tout était si... charnel. La seule chose de romantique était que Damen avait les yeux fermés, ce qui était sans doute bon signe, parce que Pétula les gardait ouverts, elle. Elle observait chaque centimètre carré de son corps dans le miroir pendant leur baiser. Pour elle, ce n'était pas tant l'intensité de la scène qui comptait que le fait qu'elle lui renvoie une image sexy dans la glace.

Charlotte se concentra sur les paupières closes de Damen, s'imaginant tout ce qui devait défiler dans son esprit à cet instant. Il semblait étrangement détendu. Peut-être qu'il pensait à quelqu'un d'autre. Pétula était là. Il n'avait donc pas besoin de fantasmer, n'est-ce pas? Peut-être qu'il pensait à elle, «la fille morte à l'école»...

Mais bon, encore une fois, sans doute que non. C'était peut-être involontaire, comme geste, un peu comme de fermer les yeux quand on éternue. Peut-être que c'était toujours comme ça qu'il faisait quand il embrassait.

La seule façon de le savoir, c'était d'être là à ce moment précis, à la place de Pétula. Et c'était impossible. Ironiquement,

maintenant qu'elle était morte, elle était capable d'aller partout, sauf là où elle souhaitait le plus : entre ses bras, et dans son esprit.

Charlotte ferma les yeux, rêvant que c'étaient ses lèvres, et non celles de Pétula, qui effleuraient les siennes cependant qu'il la caressait. Plus son esprit divaguait, plus l'image de Pétula s'éloignait et plus leur baiser «virtuel» devenait réel.

Elle sentait ses mains. Sa chaleur. Elle ressentait le désir, la passion pour la première fois. Elle n'aurait plus jamais à imaginer comment il était avec les filles. Elle savait, maintenant. De l'intérieur. Enfin, non, plutôt de l'extérieur… Aaargh !

Charlotte s'imprégna de son odeur, de la sensation de ses caresses sur elle. Elle passa le bout de sa langue sur ses lèvres et pencha la tête de côté, au moment où Pétula penchait la sienne et fermait ses yeux. Elle ouvrit les siens pendant quelques instants, pour avoir un aperçu de ce qu'elle ressentait. Mais si elle regardait trop longtemps, le charme serait rompu.

Lorsqu'elle rouvrit les yeux, elle vit Pétula à califourchon sur Damen, jambes repliées dans une position typique d'un numéro de pom-pom girls. Charlotte n'avait jamais trop su que penser de ces numéros. Le principe était de flatter l'ego des mâles en se trémoussant avec des chorégraphies d'une stupidité confondante, tout ça dans un accoutrement ridicule avec des tonnes de maquillage sur le visage. Et, en même temps, elle aurait aimé être au centre de l'attention de tous, elle aussi. Être un jour une jolie distraction qu'on ne peut s'empêcher de reluquer.

C'est alors que Charlotte comprit l'avantage d'être une pom-pom girl, et pourquoi les garçons les appréciaient autant. Pétula n'était peut-être pas la plus intelligente des filles (dans cette pièce), mais elle était probablement la plus souple, la plus athlétique ; et ça, ça valait tout l'or du monde. La réalité

de la scène qui se déroulait sous ses yeux la frappa soudain. Ce n'était pas un film, ni un jeu vidéo, c'était VRAIMENT en train de se passer. Pour de bon. Sa jalousie devenant insupportable, Charlotte retourna dans le couloir et entra dans la salle de bains adjacente, dont elle claqua violemment la porte derrière elle. Là, elle s'effondra en sanglots, inconsolable.

– Il ne sait même pas que je suis vivante, gémit-elle, penchant la tête au-dessus de l'évier, oubliant qu'elle était morte.

Après avoir passé quelques instants à se complaire dans son chagrin, Charlotte releva la tête pour se regarder dans le miroir. Elle était tellement hébétée de douleur qu'elle ne parvenait pas à déterminer si ce qu'elle voyait dégouliner le long de la glace était de la buée ou le reflet de ses larmes sur ses joues. Elle n'avait pas remarqué la vapeur qui s'échappait de la douche et qui emplissait la pièce.

– Voilà, dit-elle en voyant son visage se noyer lentement dans le brouillard humide. Je vais m'évanouir comme ça dans le néant. Pouf !

Elle fit un pas en direction du rideau de douche et s'y agrippa comme un petit enfant à son doudou. Elle y plongea le visage et le téta aussi fort que possible. C'était la crise de panique la pire qu'une morte pût vivre. Non pas une crise d'angoisse liée à la peur de mourir, mais à la certitude qu'elle ne reviendrait plus jamais à la vie.

Le rideau humide se colla un instant à sa peau, tel un carré de cellophane, et, presque automatiquement, sa tête passa à travers. Ses larmes s'arrêtèrent lorsqu'elle lut la notice d'une bouteille de shampoing sur une étagère, à sa hauteur : «Pour cheveux ternes et sans vie…» Terne, sans vie… Tout à fait moi, se dit-elle, envahie par un profond abattement.

C'est alors seulement qu'elle s'aperçut que quelqu'un prenait sa douche en ce moment même. Oups ! La honte… Couverte

de mousse, Scarlet était en train de rincer les dernières traces de shampoing dans ses cheveux teints qui lui couvraient le visage. Lentement, elle rouvrit les yeux, pour découvrir la tête de Charlotte qui sortait du rideau.

Scarlet se mit à hurler de toutes ses forces, essayant de se protéger de ses bras. Surprise, Charlotte poussa un cri en retour.

Elle essaya d'extirper sa tête du rideau de douche, mais chaque fois qu'elle tirait d'un côté ou de l'autre, elle ne faisait que se prendre un peu plus dans la matière.

Paniquée, Scarlet remarqua ce qui semblait être un filet de sang ruisselant le long de la porcelaine blanche vers la bonde de la baignoire. Elle songea à la scène de la douche dans le film *Psychose*. Elle s'inspecta pour voir si elle était blessée, recula contre le carrelage, attendant le coup de grâce. Ce n'était que la trace de son rouge à lèvres Urban Decay qui coulait, mais Scarlet, amatrice de films de série Z, adorait s'inventer des histoires.

Pendant ce temps, Charlotte avait réussi à se dégager ; elle s'écarta à l'instant où Damen accourait dans la salle de bains. Scarlet sortait de la douche, toute nue. Il ne vit pas Charlotte, perchée sur la cuvette des toilettes, qui tremblait comme une feuille.

– Qu'est-ce que tu fous là ? demanda Scarlet en se dépêchant d'attraper une serviette noire pour se couvrir.

– J'ai entendu un cri.

Damen s'efforça de ne pas « faire attention » à Scarlet, mais il avait bien du mal à trouver ses mots. C'était la première fois qu'il la voyait sans maquillage ni vêtements, ni même aucun accessoire. Elle était nue, dans tous les sens du terme. Vulnérable.

– Pas toi… Elle ! aboya-t-elle.

– Qui ça, elle ?

Elle désigna du doigt Charlotte, mais Damen ne voyait que les toilettes.

– Elle ! gronda-t-elle, plus en colère que jamais.

– Moi, dit Charlotte sans le moindre espoir d'être entendue.

Alors, Scarlet comprit qu'elle était seule à voir Charlotte. Elle poussa un nouveau hurlement, de panique autant que de frustration, puis s'enfuit à toutes jambes hors de la salle de bains. Damen eut un mouvement de recul, surpris par l'étrange comportement de Scarlet, mais, décidant de s'en moquer, il retourna auprès de Pétula.

Scarlet s'enferma dans sa chambre en claquant la porte derrière elle. Les mains agitées de tremblements, elle se débattit pour enfiler une combinaison de soie fuchsia, finement rebrodée de corbeaux noirs, puis courut s'enfermer à double tour dans son dressing.

Cette petite pièce attenante à sa chambre ressemblait à la loge d'un club d'une scène rock underground : partout sur les murs, des graffitis, des poèmes et des dessins. La cuvette de ses toilettes et le cadre de son miroir étaient recouverts d'autocollants de groupes de musique.

Scarlet fouilla rageusement dans les tiroirs de sa commode à la recherche de quelque chose, n'importe quoi, pour la défendre contre le démon de la douche.

Quelques secondes plus tard, on frappait doucement à la porte de sa chambre. Elle s'empara de sa croix en plastique noire, la brandit devant elle comme Buffy, et haussa les épaules.

– Non, il m'en faut une vraie, dit-elle en jetant la croix tel un poisson trop petit pêché dans un océan de croix.

Elle dénicha un crucifix en argent, puis sortit du dressing et courut vers la porte, devant laquelle elle se planta, brandissant son talisman, prête à affronter les vampires.

– Qu'est-ce que tu veux? demanda-t-elle à travers la porte.

– Tu me vois, murmura Charlotte.

– Attends une minute, je sais qui tu es, répondit Scarlet, nerveuse, entrouvrant à peine la porte.

– Ah oui? demanda Charlotte, agréablement surprise.

– C'est toi, la fille qu'a clamsé, au lycée. Du cours de physique de Pétula.

– Oui! C'est moi!

Charlotte était ravie : décidément, la mort lui permettait de se faire remarquer.

– Alors quoi? T'es revenue pour te venger, parce que je t'ai envoyée paître l'aut' jour?

– Non, non, pas du tout.

– Ou bien parce que ta rubrique nécrologique t'a pas plu? fit Scarlet en glissant le journal sous la porte.

– On a parlé de moi dans le journal du lycée?!

Charlotte baissa les yeux vers l'exemplaire et se mit à lire, dévorée de curiosité. Toute sa vie tenait en quatre lignes, sous un espace vide où il y avait écrit : «photo non communiquée».

CHARLOTTE USHER, ÉLÈVE DU LYCÉE DES AUBÉPINES, EST DÉCÉDÉE AUJOURD'HUI AU COURS D'UN INCIDENT STUPIDE AVEC UN OURSON EN GÉLATINE. UNE VEILLÉE MORTUAIRE A ÉTÉ ORGANISÉE EN SA MÉMOIRE.

– C'est tout? demanda Charlotte d'un ton abattu.

– Je n'ai pas eu le temps d'obtenir plus de détails, bafouilla Scarlet, qui ne jugea pas utile de mentionner que personne ou presque ne s'était rendu à la veillée, que le registre des élèves du lycée n'avait pas de photo sous son nom, et encore moins que les gens ne l'avaient jamais rappelée quand elle

leur avait téléphoné pour récolter quelques commentaires à son sujet.

Scarlet ouvrit alors la porte, agitant le crucifix devant elle.

– C'est une vraie, fit-elle avec le plus grand sérieux, comme si elle brandissait un revolver lors d'une attaque de banque à main armée.

– Ouah, si c'est là-dessus que le Christ a été crucifié, il devait être tout petit !

Scarlet ne put se retenir de pouffer.

– Je ne suis pas un vampire, dit Charlotte en retirant le crucifix des mains de Scarlet.

Charlotte pénétra dans la pièce. Elle remarqua aussitôt toutes les affiches de films cultes, comme celles d'*Harold et Maude*, de *La Nuit des morts vivants* ou de *Delicatessen*, entre lesquelles la jeune fille avait accroché des petits coffrets de présentation aux formes décalées et morbides, dans lesquels elle avait rangé d'inquiétantes petites figurines. Sur le plateau ouvragé de son bureau noir, traînait un CD de William Burroughs lisant *Le Livre des morts tibétain*, ainsi qu'un recueil d'illustrations d'Edward Gorey.

– Mince, ce n'est pas moi qui aurais dû mourir, souffla Charlotte en détaillant toutes ses affaires.

– Bof, pas étonnant, j'suis toujours à la traîne, marmonna Scarlet entre ses dents.

Le surréalisme de la scène commençait à lui plaire, maintenant que sa peur s'était presque entièrement évanouie. Presque. Les deux jeunes filles ne purent retenir les questions qui leur brûlaient les lèvres. Elles se mirent à parler en même temps.

– Qu'est-ce que ça fait d'être morte ?

– Qu'est-ce que ça fait d'être la sœur de Pétula ?

La question de Charlotte estomaqua Scarlet.

– Tu te fous de moi, là ?

Alors Charlotte décida de poser une question un peu plus appropriée.

– Comment se fait-il que tu me voies ? Aucun autre vivant n'y arrive. À part les chiens et les bébés, peut-être.

– Comment veux-tu que je le sache ?

– Il y a sans doute une explication sensée à cela. Qu'y a-t-il de spécial chez toi qui puisse l'expliquer ?

Elle examina le crucifix celte ainsi que les autres reliques gothiques dont regorgeait la chambre. Puis elle pénétra dans le dressing de Scarlet, un immense cabinet au plafond duquel pendait un énorme lustre ruisselant de perles de cristal colorées en forme de larmes. Il y avait également un fauteuil tapissé de velours parsemé de ce qui semblait être de minuscules pois noirs, mais, en s'approchant, Charlotte constata qu'il s'agissait de petits crânes. Et il y avait aussi ce très vieux miroir en cristal de Venise suspendu à la porte, où étaient accrochés quelques bijoux dénichés dans des vide-greniers.

Le cabinet était empli de fripes, sacs, colliers, écharpes – tout un fatras de vieilleries. La plupart de ces objets étaient noirs, mais des touches de couleurs électriques surgissaient çà et là, dans l'océan de dentelles et de sequins. Cela ressemblait davantage à un atelier de couture branché, ou peut-être à la loge néo-gothique des Dresden Dolls, qu'au dressing d'une jeune lycéenne.

– Tout est dans la modération, dit Scarlet, remarquant l'admiration de Charlotte pour sa collection.

Elle s'approcha et sortit un tee-shirt abîmé à l'effigie du groupe Strawberry Switchblade, qu'elle enfila par-dessus un kilt de tartan et une paire de leggins noir irisé.

– Où et comment as-tu fait pour te procurer tous ces trucs-là ? demanda Charlotte, sur un ton presque accusateur.

— Je les ai volés à mes victimes.

Charlotte eut un mouvement de recul, légèrement abasourdie.

— Je travaille à la Friperie Rebel, en ville, pendant l'été, reprit Scarlet, devinant le malaise de Charlotte.

— C'est joli, ça, murmura Charlotte en caressant du bout des doigts une robe bleu nuit de sequin.

— Tu trouves? demanda Scarlet tout excitée, avant de se reprendre. Ouais, si on veut.

Charlotte fouilla dans une pile de chemisiers noirs et autres magnifiques caracos d'époque, puis se lança dans l'exploration d'une rangée de tee-shirts vintage cependant que Scarlet terminait de s'habiller.

— Peut-être que tu peux me voir... je ne sais pas... parce que tu es... heu... différente, ou un truc dans ce genre?

— Et te revoilà avec tes stéréotypes.

— Je ne voulais rien dire par là... Je t'assure. C'est juste que si je pouvais comprendre, ça m'aiderait peut-être à... heu... à faire quelque chose d'important pour moi.

— Qu'est-ce que tu fais ici, d'ailleurs? Tu pourrais être partout, demanda Scarlet, suspicieuse.

— J'étais là pour voir... euh... ta sœur.

— Je t'en prie! Quelle bonne nouvelle! C'est au fond du couloir, à droite...

— Je ne suis pas non plus la Faucheuse, répondit Charlotte, réduisant à zéro les espoirs de Scarlet de se voir débarrassée de sa sœur purement et simplement.

— Ah, fit Scarlet, profondément déçue. Alors pourquoi tu ne traînes pas dans les loges d'un concert, ou bien au paradis, ou encore... je ne sais pas... un endroit cool? Tu te gâches la... euh... la vie après la mort.

— Quoi, tu rigoles? J'ai eu la chance de voir la robe de Pétula avant la soirée!

– Non, arrête! rétorqua Scarlet sur un ton sarcastique, sautant sur place en mimant l'excitation. Si je ne me contiens pas, je vais me faire pipi dessus!

– Et toi, tu y vas avec qui? demanda Charlotte, ignorant la vanne de Scarlet.

– Où?

– Au bal de l'Automne!

– Je ne fais pas partie de la masse dégénérée des élèves des Aubépines, au cas où tu ne l'aurais pas remarqué.

Charlotte recula.

– Tu sais, on ne dirait pas que tu es morte, à te voir comme ça, reprit Scarlet en inspectant sa visiteuse des pieds à la tête. On n'y croit pas une seconde!

Charlotte baissa les yeux, déçue. Les bonnes vieilles sensations de ne pas être à sa place lui revenaient avec toute leur cruauté.

– Super! Même morte, rien ne colle, chez moi, dit-elle en se laissant tomber sur le couvre-lit de satin écarlate.

– Attends, je peux peut-être t'aider, tu sais – à avoir l'air morte, au moins?

Sur ce, Scarlet empoigna le bras de Charlotte pour la conduire devant sa coiffeuse.

– Assieds-toi, lui dit-elle doucement en l'invitant à prendre place devant le miroir.

Puis elle ouvrit un tiroir et se mit immédiatement au travail, tourbillonnant autour de la chaise.

– Qu'est-ce que tu fais?

– Il te faut un petit coup de pouce. Tu sais, vivre vite, mourir jeune et faire un beau cadavre[1]..., dit Scarlet en plaçant ses instruments sur un linge propre aux côtés de Charlotte,

---

1. Citation de James Dean. *(N.D.T.)*

comme un chirurgien se préparant à une intervention extrêmement périlleuse pour sauver la vie d'un patient.

— D'accord, marmonna Charlotte tandis qu'elle s'enfonçait dans le fauteuil, laissant Scarlet opérer d'abord sur elle-même sa magie.

On eût dit qu'elle s'apprêtait à exécuter une mission de la plus haute importance. Concentrée, déterminée, elle mélangea les fards, appliqua un rouge cramoisi sur ses lèvres et peigna ses beaux cheveux noirs et lisses. Elle étala également sur son visage un fond de teint pâle, rehaussé de poudre blanche.

Puis Scarlet réfléchit à ce qu'elle allait faire pour Charlotte, alignant devant elle ses pinceaux rangés dans un étui à maquillage sur la tablette.

«Une vraie pro», songea Charlotte en tirant ses cheveux en arrière pour dégager son front.

Scarlet réchauffait la pointe d'un bâton de khôl à l'aide d'un briquet, mais chaque fois qu'elle touchait la peau froide de Charlotte, celui-ci gelait. Après une nouvelle tentative infructueuse, elle approcha la flamme de trop près et eut un mouvement de panique.

— T'inquiète pas, je vais pas prendre feu, dit Charlotte pour la rassurer.

Alors Scarlet se résolut à laisser la flamme brûler la pointe du bâtonnet pendant qu'elle le passait sur les paupières de Charlotte.

— Tu n'as pas, heu… peur de moi? Même pas une petite angoisse? s'étonna Charlotte en regardant Scarlet choisir avec soin ses couleurs parmi l'impressionnante palette de fards pour les yeux.

— Et toi? lui demanda celle-ci.

— Eh bien, si, un peu. Parce que toi, tu ne sembles pas vraiment effrayée.

– Non, je le suis un peu aussi, répondit Scarlet avec un petit sourire, comme elle se préparait à la prochaine étape.

Elle prit alors une portion de cire chaude sur un bâton, dans un pot violet, et déposa celle-ci avec précaution sur le sourcil de Charlotte. Après quelques secondes, elle posa par-dessus un linge propre, appuya, puis l'arracha d'un coup, craignant une réaction de douleur de la part de Charlotte. Mais cette dernière ne bougea pas d'un pouce.

– L'un des avantages indéniables de la mort, dit-elle.

Scarlet hocha la tête en riant.

Elle reprit sa tâche, s'intéressant cette fois aux cheveux de Charlotte, qui appréciait qu'on s'occupe ainsi d'elle. Le plus agréable dans tout ça était que Scarlet semblait sincèrement heureuse d'être en sa compagnie. Élevée depuis ses plus jeunes années par une famille d'accueil, Charlotte n'avait pas l'habitude qu'on lui porte une telle attention.

Après quelques instants, elles furent interrompues par le vieux coucou de Scarlet (en fait de coucou, c'était un corbeau qui sortait du chalet, et qui criait «Va te faire!» à chaque sonnerie).

Prenant conscience de l'heure tardive, Charlotte se redressa.

– Où tu vas? s'écria Scarlet pour la retenir, car son œuvre n'était pas achevée.

– Il faut que je me rende à une assemblée d'élèves! On se voit demain à l'école!

Elle se précipita dans le couloir, alla jeter un dernier coup d'œil à Damen qui dormait confortablement sur le lit de Pétula, apparemment épuisé par leurs ébats. Pétula, quant à elle, s'était relevée; elle était occupée à ajuster sa robe sur son buste de couturière. Charlotte quitta la maison, transformée. Cheveux démêlés, yeux soulignés d'un trait sanglant d'eye-liner, les lèvres cramoisies et les ongles peints en noir,

elle s'engagea dans l'allée à toute vitesse, courant comme une folle.

«Une assemblée d'élèves? L'école? La mort n'est peut-être pas si chouette, après tout», songea Scarlet en regrettant de voir disparaître Charlotte dans l'obscurité, par la fenêtre de sa chambre.

– Attends!», s'écria-t-elle de nouveau, mais Charlotte ne répondit pas. Elle était beaucoup trop loin désormais. Pratiquement hors de vue. «Super! s'exclama-t-elle. Non seulement je vois des morts, mais en plus, je m'attache à eux!»

8

Au cœur des ténèbres

Je vois tout, maintenant, qui s'écroule sous mes yeux.

Ian Curtis.

Être chez soi,
c'est être là où on aime.

———•◆•———

Chez soi, c'est l'endroit où l'on peut se laisser aller, détacher ses cheveux et baisser sa garde. Mais, comme toujours, Charlotte avait bien du mal à trouver sa place. Le manoir des Aubépines était pour elle un lieu où elle pouvait séjourner, mais non pas « vivre ». Et, pour l'heure, elle était bien plus préoccupée par le sort de son cœur que par celui de son âme. En effet, le cœur de Charlotte avait beau ne plus battre, elle l'avait tout de même gros.

a résidence des Morts, que les élèves appelaient le manoir des Aubépines, pouvait paraître un lieu déprimant, mais, aux yeux de Charlotte, c'était une communauté. Elle n'aurait jamais l'occasion de connaître la vie en résidence universitaire ; c'était donc pour elle une grande joie.

Allait-elle partager sa chambre avec une autre élève ? Rester éveillée à discuter toute la nuit avec elle ? Feraient-elles ensemble leurs devoirs ? Établiraient-elles des codes secrets, au cas où l'une d'elles inviterait un garçon ? Est-ce qu'elles s'échangeraient leurs vêtements ? Auraient-elles des crises de fou rire incontrôlables ? Est-ce qu'elles commanderaient des pizzas en pleine nuit, plongées dans leurs révisions, pour se plaindre tout le lendemain du poids qu'elles avaient pris ? Non. Au fond d'elle-même, elle le savait très bien : encore un espoir qu'elle devait abandonner. Mais c'était tout de même un internat : cela signifiait qu'elle ne serait pas seule. Et, pour elle, c'était déjà beaucoup.

Toutes ces idées tournoyaient dans sa tête tandis qu'elle se dépêchait pour ne pas arriver en retard à l'assemblée. Chose étrange, bien que ce fût la première fois qu'elle se rendait au manoir des Aubépines, elle savait d'instinct le chemin qu'elle devait emprunter pour s'y rendre, comme si une sorte de GPS du monde des esprits la guidait. Il n'y avait pourtant pas de joueur de flûte[1] pour l'attirer avec le son de son pipeau ou, en l'occurrence, pas de Piccolo Pam. Mais le résultat était le même : elle filait droit devant elle, comme envoûtée.

En tournant au coin de la longue rue déserte, elle sut d'emblée vers quelle maison se diriger. C'était un manoir délabré de l'époque victorienne, mais toujours superbe dans sa décrépitude. Une propriété somptueuse qui avait dû faire la fierté des environs, jusqu'à ce que les immeubles de béton et le temps viennent ternir sa gloire.

D'après Charlotte, cependant, l'édifice ne manquait pas de caractère : la bâtisse, couverte de lierre grimpant, était flanquée de pignons, avec des fenêtres en encorbellement sur les façades des étages, soutenus par des corbeaux de pierre, et des fenêtres en ogive ornées de vitraux. Cette demeure semblait tout droit sortie d'un conte gothique.

Il y avait de superbes lanternes suspendues aux poutres de la galerie qui courait autour du premier étage de la résidence, en une structure tarabiscotée. Au contraire du bureau désert des entrants, au sous-sol du lycée, et de la salle de classe encombrée de vieilleries, le manoir des Aubépines était un lieu magique.

« Ah ! la douceur du foyer ! », se dit-elle, morose, en caressant une rosace avant de poser la main sur la rampe de l'escalier.

Une fois sur le perron, Charlotte jeta un coup d'œil à travers les carreaux de la fenêtre, et remarqua l'énorme lustre

---

1. Référence à la légende du Joueur de flûte de Hamelin, conte des frères Grimm. *(N.D.T.)*

suspendu dans l'entrée. Il aurait pu faire partie du décor du film *Le Fantôme de l'Opéra*. Elle pénétra dans le couloir, pavé d'une mosaïque de marbre noir et blanc.

Elle admira les motifs qui ornaient les portes cintrées en merisier dans toute la maison. Celle-ci ne ressemblait en rien à ce qu'elle avait pu connaître durant son existence, mais, plus que tout, il y faisait bon. Le vestibule, grandiose, était déjà très accueillant. Charlotte espérait que les chambres seraient à la hauteur de cette première impression, parce qu'elle commençait à se sentir fatiguée. La journée avait été longue. Très longue.

Mais déjà Pam dévalait les marches tapissées de velours rouge de l'escalier de bois.

– Où étais-tu? lui demanda-t-elle sur le ton de la réprimande, car elle connaissait déjà la réponse à sa question.

– J'ai mené la belle vie, répondit Charlotte, plaisantant à demi.

– Oui, eh bien, c'est ici que tu «vis» désormais, et tu es en retard pour l'assemblée. Dépêche-toi! dit Pam en saisissant la main de Charlotte pour la conduire à l'étage, empruntant l'escalier gigantesque. Prue n'est pas contente du tout!

Charlotte n'avait jamais vu Pam si énervée. D'ailleurs, elle ne sentait même pas ses pieds sur le tapis tant elle se dépêchait pour rejoindre les autres, survolant les marches tel un ballon gonflé à l'hélium.

Pam et Charlotte gagnèrent la salle de réunion au bout du couloir. Elle ressemblait à une salle de classe d'une université de prestige, comme dans *Le Cercle des poètes disparus*. Prue énonçait l'ordre du jour lorsque Charlotte entra en trombe dans la pièce. Bien qu'elle sentît la main de Pam dans la sienne qui la tirait, elle eut la surprise de voir celle-ci assise dans les rangs, comme si elle n'avait pas bougé d'un pouce.

Avant d'entrer, Charlotte parcourut la pièce du regard, remarquant alentour les dizaines de reliques appartenant à des confréries variées. Il y avait une bannière qui portait l'insigne «Thêta», la lettre grecque qui symbolisait la mort, fixée en travers du mur, au-dessus d'une série de photographies de classes couleur sépia, dans un cadre en forme d'Ouroboros[1]. Elle était très heureuse de se trouver en un lieu si empreint de dignité; elle avait l'impression d'être membre d'une société secrète, bien qu'elle ne se sentît pas pour l'heure tout à fait intégrée.

Charlotte avança d'un pas timide. Ses camarades d'internat ricanèrent sous cape en l'apercevant ainsi changée. Tous, non : Prue était tout bonnement hors d'elle.

– C'est une blague? gronda-t-elle.

Charlotte, qui dans sa précipitation avait oublié son nouvel accoutrement, tenta désespérément de s'aplatir les cheveux en se léchant les mains. Elle essaya également d'ôter un peu de son maquillage, mais elle n'avait plus de salive, à cause de sa nervosité et... oui, à cause aussi du fait qu'elle était morte.

– Vous rirez moins quand cette maison sera vendue! fit Prue, exigeant que les personnes présentes lui accordent leur attention.

Charlotte s'approcha du seul et unique visage souriant de la salle, Piccolo Pam, auprès de qui elle prit place.

– Pourquoi c'est grave de vendre cette maison? murmura innocemment Charlotte à l'oreille de Pam.

– Pourquoi c'est grave? hurla Prue avant même que Pam n'ait pu prononcer une seule parole. C'est GRAVE parce que c'est notre résidence. C'est là que nous vivons.

---

1. Serpent ou dragon qui se mord la queue. Symbole présent dans les Antiquités égyptiennes et asiatiques et dans les mythologies nordiques. (*N.D.T.*)

– Mais il y a peut-être d'autres vieilles demeures dans le monde? reprit Charlotte, penaude.

– Ah oui, et il y a d'autres enfants morts dans le monde? cracha Prue, lui renvoyant violemment sa question en pleine tête. Il ne s'agit pas des autres demeures, mais de CELLE-CI, qui nous a été confiée jusqu'à ce que l'heure ait sonné.

– L'«heure»? Quelle «heure»? s'enquit Charlotte en faisant le signe des guillemets pour appuyer sa demande.

Pam, pressentant une grosse dispute, intervint.

– Du calme, tout le monde. Charlotte est nouvelle, ici.

Mais ce fait semblait n'avoir aucune importance pour Prue.

– Il nous FAUT demeurer ici, Charlotte, expliqua Pam, jusqu'à ce que l'heure ait sonné pour nous de passer ensemble de l'autre côté.

– Où donc? Je viens tout juste d'arriver.

– Aucun d'entre nous ne le sait avec certitude. Résoudre nos propres problèmes n'est que l'une des épreuves. Empêcher la vente de cette maison en est une autre, que nous devons surmonter ensemble. C'est notre devoir : il nous faut nous unir, former une équipe, nous dépasser, oublier nos désirs et nos besoins personnels.

– Le désintéressement et l'engagement, Usher, gronda Prue. Deux choses auxquelles tu ne connais manifestement rien.

Charlotte se hérissa : c'était totalement injuste et faux. Après tout, elle avait essayé de s'engager dans l'équipe des pom-pom girls, non? Le sens du mot «équipe» ne lui échappait pas, au contraire : il était écrit sur son front, tellement elle en était pénétrée.

– Si nous voulons sauver cette maison, tout le monde doit y mettre du sien. Si un seul d'entre nous refuse de s'engager dans cette lutte, cela ruinera les efforts du groupe,

affirma Prue sur le ton de la menace, tout en frappant dans sa paume de la pointe d'une baguette. Et je ne permettrai pas que cela se produise, conclut-elle en regardant fixement Charlotte.

À ces mots, tous les élèves redevinrent sérieux. Enfin, à l'exception de Métal Mike et de Jerry Tête de Mort, qui s'amusaient à faire des gestes obscènes à Abigail, la jeune victime de noyade qui portait toujours son maillot de bain – malgré ses veines bleutées, son teint livide et ses yeux qui roulaient perpétuellement dans ses orbites.

– J'aimerais bien plonger là-dedans, disait Jerry Tête de Mort à Mike, en parlant de la jeune fille.

Un nuage de fumée s'échappait de sa bouche chaque fois qu'il l'ouvrait pour parler.

– Difficile de croire qu'elle ait pu se noyer avec des flotteurs pareils, répondait Mike en ricanant un peu trop fort.

Charlotte s'efforça de garder les yeux rivés sur Prue.

– Bon, que faire pour empêcher la vente ? demanda cette dernière.

Il y eut un silence de mort comme Prue considérait un à un tous les élèves de la classe des Morts.

– Alors ? Quelqu'un a-t-il une idée ? aboya-t-elle, tel un chien enragé.

Dans l'assemblée, Charlotte baissait le menton, cherchant à éviter le regard de Prue.

«Pourvu qu'elle ne m'interroge pas, pourvu qu'elle ne m'interroge pas», priait-elle intérieurement en essayant de disparaître derrière Simon et Simone, les jumeaux assis devant elle.

Ces derniers étaient assez secrets ; méfiants, ils restaient entre eux, à l'écart du groupe, l'air lugubre et torturé. Ils avaient une démarche souple et élégante. Les voir était un peu effrayant : ils faisaient toujours les mêmes gestes au

même moment. Mais Charlotte leur était reconnaissante d'être inséparables ; l'écran qu'ils formaient, ainsi collés l'un à l'autre, la protégerait peut-être du regard inquisiteur de Prue.

– Bien, alors, si notre grande gagnante de la mort la plus stupide ne daigne pas répondre, qui d'autre ? demanda Prue, interrompant la litanie de Charlotte. Puisque tout cela vous semble à tous irrésistiblement drôle, quel plan d'action proposez-vous ?

– Oh, moi, non, je ne trouve pas ça drôle…, protesta Charlotte.

– Tiens, j'aurais pourtant juré, dit de nouveau Prue, levant les yeux au ciel en faisant allusion à son maquillage.

– Ça ? Oh, non, c'était juste…, bafouilla Charlotte, cherchant un alibi.

– Eh bien ?

C'est alors que les deux yeux d'Abigail bondirent hors de leurs orbites, et foncèrent droit sur Jerry.

– Oh, mon Dieu ! hurla Charlotte, aussi fort que ses poumons flétris pouvaient le lui permettre.

Son cri fit sursauter toute la classe. Surprise, Abigail ramassa ses deux globes oculaires pour les remettre en place ; son visage retrouva une apparence normale.

– Tu es une grande malade, toi, souffla Métal Mike, écœuré.

Abigail eut un petit sourire narquois qu'elle tenta de dissimuler entre ses doigts bleus.

– «Oh, mon Dieu !», ironisa Prue en poussant un petit cri aigu. Dieu lui-même ne te sera d'aucune aide si tu continues à tout faire rater comme ça.

– Attends, je crois qu'elle vient d'avoir une idée, s'interposa Pam dans un effort pour sauver la peau de sa protégée.

Charlotte hocha nerveusement la tête.

– Nous pourrions peut-être empêcher la vente en faisant peur aux gens… Ils s'enfuiraient en courant, hein, Charlotte? fit Pam en lui donnant un coup de coude.

– Ouais, tiens, pourquoi on pourrait pas, heu… faire comme elle a dit? fit Simon.

– Oui, effrayer les acheteurs potentiels? ajouta Simone pour aider son frère à terminer sa phrase.

– J'y suis! On pourrait décorer toute la maison en rose! Ça devrait marcher! s'exclama Coco, effrayée rien qu'à cette idée.

Charlotte se lança, proposant une solution dont tous dans cette pièce savaient déjà qu'elle était vaine.

– Nous sommes morts… Pourquoi ne pas… euh… en profiter? demanda-t-elle en s'adressant directement à Prue, prenant peu à peu confiance.

– C'est ça, ton plan?

– Ben oui, je veux dire, c'est une évidence… Mais ça vaut le coup d'essayer.

– Non. On ne peut pas hanter cette maison, cela ne manquerait pas de produire l'effet inverse de celui que nous cherchons. Elle deviendrait une attraction pour touristes, ou encore un terrain de jeux pour étudiants ivres morts… C'est le moyen le plus sûr de la faire raser pour la transformer en parking.

– Je crois que la meilleure façon de faire fuir les acheteurs potentiels, c'est de tout mettre en œuvre pour donner à croire qu'elle n'est pas aux normes, suggéra Francis, surnommé Fran Scie Sauteuse parce qu'il avait trouvé la mort au cours d'un horrible accident en atelier, à l'école. Il avait maintenant un moignon à la place d'un bras et des entailles profondes sur tout le corps.

– D'accord, alors formons des équipes d'effroi! déclara Prue, fâchée d'avoir à se ranger à l'avis de son ennemie.

Charlotte allait se diriger vers Pam quand Prue posa la main sur l'épaule de cette dernière d'un geste autoritaire, tel un professeur voulant éloigner un élève turbulent dans le couloir pour lui faire une remontrance.

– Pam, tu seras avec Violette la Muette. Suzy les Ciseaux ! Tu te mets avec moi.

Suzy tira ses manches sur ses mains et se dirigea vers Prue, poings fermés. Charlotte se retrouvait seule, comme en cours de physique.

– Et moi ? Avec qui je suis censée me mettre ?

– Demande autour de toi, *Butch* !!! lâcha Prue. La prochaine fois, tu arriveras peut-être à l'heure, et tu nous montreras que tu prends tout ça au sérieux.

Charlotte tenta de s'expliquer, mais ses paroles résonnèrent dans le silence de la salle déserte.

Elle se traîna dans les couloirs à la recherche de sa chambre, abandonnant ses espoirs de nuits passées à bavarder avec une amie. Pas de code secret, pas de rentrée tardive après une virée folle, pas de crises de fou rire, pas d'histoires de garçon, pas de pizza. Bon, de toute façon l'affrontement avec Prue l'avait épuisée émotionnellement. Jamais on ne lui avait témoigné un tel mépris. Même dans la vie.

Elle parvint à l'étage au-dessus de celui de la salle de réunion, et s'arrêta sur le seuil de la première pièce dont la porte était entrouverte. Le panneau de bois était richement orné de sculptures et de moulures. Charlotte le poussa, passa d'abord la tête pour vérifier qu'elle ne pénétrait pas sur le territoire de quelqu'un, puis entra.

La pièce était vide. Charlotte s'y sentit aussitôt chez elle. Elle sut d'instinct qu'il s'agissait de sa chambre. Les murs étaient tapissés d'un papier tontisse à motif floral. Charlotte se pencha pour l'observer de plus près, croyant que ses yeux fatigués lui jouaient des tours. Mais non : elle voyait bien

des pétales se détacher de temps à autre des fleurs, créant ainsi un effet surréaliste qui portait à la rêverie. Il y avait un lustre, modèle réduit de celui qui ornait le vestibule d'entrée, éclairant le plafond de sa douce lumière.

Des étagères d'acajou ornaient les murs. Une impressionnante coiffeuse, comme celle de Scarlet, occupait le mur adjacent à celui où s'adossait le grand lit à baldaquin. Charlotte était si lasse qu'elle ne prêta qu'une faible attention à toutes les merveilles qui l'entouraient. Elle s'avança vers le lit et s'y laissa tomber lourdement.

– La mort me gâche la vie! soupira-t-elle en s'enroulant dans une couverture de panne de velours.

Comme sa tête reposait sur l'oreiller, l'engourdissement qui s'était emparé d'elle la quitta, et ses idées se mirent à tournoyer dans son esprit. Elle ne parvenait pas à se détendre, et la perspective de s'endormir lui parut soudainement effrayante. Tant qu'elle demeurerait éveillée, se disait-elle, elle serait «vivante», sinon en vrai, mais du moins consciente. Présente à ce qui l'entourait. Qui sait ce que le sommeil pouvait provoquer?

Alors le souvenir lui revint de Jerry Tête de Mort qui s'assoupissait en classe en gardant les yeux ouverts; cette image l'effraya plus encore. Cauchemar au manoir des Aubépines! Elle parcourut la pièce du regard, folle d'angoisse, à la recherche de quelque objet qui pourrait la tenir en éveil.

Un livre était posé sur la table de chevet : le *Manuel du savoir-vivre à l'usage des morts*. Elle s'en empara et commença à le feuilleter. Peut-être y trouverait-elle des réponses à ses questions. Peut-être dénicherait-elle quelque espoir entre ses pages racornies.

Comme elle le parcourait, elle tomba sur un chapitre qu'elle n'avait pas vu, quelques heures plus tôt, en classe. Il était intitulé «Possession».

Charlotte se redressa sur le lit, tout excitée.

Des illustrations représentaient un garçon entrant dans le corps d'une jeune fille. Charlotte lut attentivement chacun des mots de la légende.

– M'a pas l'air trop dur, se dit-elle, pleine d'une confiance absurde.

Charlotte termina le chapitre à la lueur des rayons de lune qui filtraient à travers les carreaux de ses gigantesques fenêtres, puis referma le livre, cédant finalement à la fatigue qui pesait sur ses épaules depuis le début de la soirée. Elle n'était plus triste, ni effrayée.

– S'il ne peut pas me voir, il ne peut pas m'inviter au bal de l'Automne, je n'ai plus qu'à entrer en possession de celle qu'il a l'intention d'emmener..., marmonna-t-elle avant de plonger lentement dans le sommeil.

Charlotte leva la main et abaissa ses paupières, au cas où, tandis que la petite brise d'automne qui soufflait par les interstices de ses fenêtres faisait frémir les pages du livre, les tournant jusqu'à la dernière du chapitre – à laquelle elle n'était pas encore arrivée. En lettres capitales, le livre avertissait ses lecteurs : «À N'UTILISER QU'AVEC LES PLUS GRANDES PRÉCAUTIONS!!!! »

9

Au volant

Ne croyez pas que je sois celui que je parais être.

Lord Byron.

Prière de bien vouloir vous attacher.

———◆•◆•◆———

L'attachement à une personne ou une chose repose sur la croyance que l'objet de notre affection, chose ou personne, va remplir notre vie. Les liens nous tiennent vivants. Nous luttons pour garder ce que nous avons ou encore pour obtenir ce que nous désirons. Mais ces liens peuvent également nous pousser à tourner en rond. Charlotte en était l'exemple vivant. Enfin... façon de parler.

 étula et les deux Wendy pénétrèrent dans les toilettes comme dans leur territoire. Elles firent leur entrée habituelle, avec cet air important qu'elles affichaient toujours, au cas où quelqu'un serait là pour les regarder. C'était leur coin privilégié ; elles aimaient s'y retrouver à toute heure, pour se repoudrer le nez juste avant de se rendre en classe, par exemple. Là, elles dégainaient poudriers, pinceaux et gloss de leurs sacs à main ridiculement chers, et prenaient littéralement possession des lieux.

Un groupe de secondes leur bloquait l'accès au miroir. Les pauvres innocentes n'avaient pas idée de l'impair qu'elles osaient commettre. Wendy Anderson prit la direction des opérations : d'un regard glacial, sans prononcer un seul mot, elle dispersa le troupeau en leur désignant la sortie. Elles apprenaient vite : rapides, elles s'enfuirent en file indienne sans oser la moindre objection.

– Vraiment aucune personnalité ! marmonna Wendy comme elles prenaient toutes les trois leur place de choix devant le miroir.

Pétula jeta un coup d'œil à Wendy Thomas sur sa gauche et se mit à réfléchir. Puis elle sortit un bâton anticernes et dessina une ligne sur l'arête du nez de celle-ci, comme un chirurgien prêt à le lui remodeler.

— Tu vois, si tu te faisais gommer cette petite bosse, là, et redresser la pointe, ça te ferait un nez super mignon comme le mien, dit-elle en reculant d'un pas pour admirer son œuvre.

— Ouais, t'as raison, répondit Wendy dans un petit gloussement en observant la trace de maquillage sur sa peau, petite et cependant appuyée.

Les trois amies passaient leur temps à se livrer à ce petit jeu d'échanges de remarques douces-amères. Aussi n'éprouvèrent-elles aucune honte lorsqu'elles entendirent un froissement dans l'une des cabines derrière elles.

Eussent-elles daigné regarder ailleurs que dans leur cher miroir, elles auraient sans doute vu la paire de bottes noires et cloutées sous la porte. La chasse d'eau retentit et Scarlet apparut, tirant sur son chemisier moutarde et son pull sans manche, avant de remettre en place sa jupe de mousseline.

Wendy Anderson, apercevant le reflet de Scarlet dans la glace, lui adressa une moue dédaigneuse, ce qui ne fit qu'irriter la jeune fille. Scarlet s'approcha et arracha des mains manucurées de Pétula le bâton de maquillage.

— Si j'étais toi, je me paierais carrément une Marie-Antoinette, dit-elle en traçant un trait horizontal sur la nuque de Wendy. Ce n'est pas la bosse de ton nez que tu devrais te faire enlever, c'est la tête tout entière !

— Tu ne devrais pas être au fond de ton lit, en train de pleurer ta mère parce que la Terre entière te déteste ? demanda Wendy avec mépris.

— Désolée, je ne suis pas une langue de *pute*, moi, j'comprends pas ce que tu dis, répliqua Scarlet, soulignant son

propos en dressant son majeur avec la même froideur que Wendy lorsqu'elle avait désigné la sortie aux gamines, quelques instants plus tôt, de son index pointé vers la porte.

Pétula passa devant sa sœur sans même la regarder et sortit des toilettes au moment où la cloche sonnait la reprise des cours.

Scarlet demeura interdite, se demandant comment diable elles pouvaient être de la même famille. Un frisson glacé l'envahit. Elle regarda autour d'elle.

– Charlotte ?

Pas de réponse. Charlotte attendait dehors que sortent Pétula et les deux Wendy. Toutes trois avaient cours de conduite avec M. Gonzalez : elle ne voulait pas rater cette chance.

Charlotte jetait un dernier coup d'œil à la page « Possession » de son manuel quand le triumvirat apparut dans la cour. Elle se sentait nerveuse, car c'était sa toute première fois. Elle tenta de se convaincre que son plan allait de soi. C'était LE moment. Elle s'apprêtait à entrer en Pétula Kensington. Voir le monde à travers ses yeux, le sentir à travers ses doigts, et peut-être embrasser avec ses lèvres ! Ah ! regarder ses pieds, et voir un corps parfait, avec des courbes magnifiques, tout ce qu'il fallait là où il fallait !

Oui, parce que c'était peut-être cool pour des célébrités du show-biz d'aller traîner en jogging cradingue dans les banlieues, histoire de vivre de l'intérieur l'enfer des discriminations, mais Charlotte recherchait précisément le contraire : se faire accepter. Admirer. Devenir populaire. Et Pétula était la perfection même : des fringues parfaites, une vie parfaite, un petit ami parfait, tout ça rien que pour elle. Et pour la première fois, elle était en mesure de prendre le contrôle ; ses rêves allaient enfin devenir réalité.

Cependant, Pétula, installée à la place du conducteur, retouchait son maquillage en se regardant dans le rétroviseur. Elle avait laissé la portière ouverte, de manière à ce que tous puissent la voir avant qu'elle quitte l'enceinte du lycée. C'était sa façon à elle d'être généreuse. Wendy Thomas et Wendy Anderson avaient pris place à l'arrière, laissant le siège avant libre pour le moniteur qui discutait avec l'un de ses collègues.

Pétula, lassée d'attendre M. Gonzalez, décida de commencer sans lui. Elle était la seule à pouvoir se permettre de partir avec une voiture du lycée sans professeur à ses côtés... ni permis.

– En l'honneur de M. Gonzalez, allons nous taper des tacos! proposa Pétula aux deux Wendy, comme si elles avaient le choix.

– Ça me paraît une bonne idée! répondirent-elles de concert.

– Bien sûr, que c'est une bonne idée, puisque je le dis.

Pétula démarra en trombe, la porte du passager toujours ouverte.

– À plus dans le bus, bâtard! s'écria Wendy Thomas par la fenêtre, à l'intention du professeur.

– Wendy, tu oublies que c'est aussi notre professeur d'espagnol. Tu devrais lui montrer que tu travailles, et lui dire *Hasta la vista, bastardo!* pouffa Wendy Anderson.

– *Hasta la vista, bastardo!* s'écria l'autre Wendy.

M. Gonzalez se mit à hurler en direction de la voiture qui s'emballait, totalement humilié devant son collègue. Mais Pétula en connaissait un rayon, dans l'art d'humilier les gens. Surtout les profs.

Charlotte se précipita au même instant tête baissée dans la voiture, par la portière laissée ouverte, juste au moment où Pétula se penchait pour la refermer. Cette intrusion dans

le corps de cette dernière provoqua chez elle un mouvement réflexe, comme le tressautement nerveux d'une jambe, ce qui la poussa à appuyer sur la pédale d'accélération.

La voiture fit une embardée brutale. Si violente, même, que le choc expulsa Charlotte hors de Pétula, en dehors du véhicule, par la fenêtre ouverte côté conducteur.

Momentanément libérée de Charlotte, Pétula reprit le contrôle de la voiture. À l'arrière, les deux Wendy, tout excitées à l'idée de partir sans le moniteur de conduite, appréciaient nettement moins les mouvements désordonnés du véhicule. Pétula fit mine d'avoir les choses en main, opérant un demi-tour vers la sortie du parking.

Mais Charlotte se ressaisit ; elle traversa le pare-brise pour s'emparer des mains de Pétula, qui braqua brutalement à gauche, puis à droite. Alors Charlotte passa ses jambes dans l'habitacle pour entrer dans celles de Pétula. Elle la collait littéralement, tel un vieux chewing-gum à la semelle d'une chaussure.

Pétula avait maintenant perdu tout contrôle du véhicule. La vitesse projeta Charlotte contre le pare-brise, nez à nez avec Pétula ; toutes deux écarquillaient les yeux, affolées. N'ayant jamais approché son idole d'aussi près, Charlotte était éblouie. Même dans des circonstances dangereuses.

– Je suis désolée, Pétula, dit-elle tout à fait sincère.

Mais cette dernière n'entendait pas. Serrant les mâchoires, elle regardait droit devant elle, s'efforçant de ne rien heurter. Les deux Wendy, ballottées dans tous les sens sur le siège arrière, commençaient à montrer des signes de réelle inquiétude.

– Les accidents de la route sont la première cause de mortalité chez les jeunes, gémit Wendy Thomas dans un souffle.

– Oui, les chercheurs expliquent que de nombreux adolescents ont du mal à évaluer les risques, parce que l'aire du

cerveau qui contrôle l'impulsivité ne parvient à maturité qu'autour de vingt-cinq ans, déblatéra nerveusement Wendy Anderson, ressortant comme par magie une information douteuse qu'elle avait lue par hasard dans un magazine.

Wendy Thomas et Pétula restèrent sans voix face à cette sortie inattendue de leur amie. Charlotte elle-même en fut très impressionnée. Mais les brusques écarts de la voiture les ramenèrent bien vite à la réalité.

– Pétula, tu crois pas que tu devrais ralentir?

Wendy Thomas avait sitôt prononcé cette remarque que Pétula s'énerva :

– Attachez-vous, bande de connes! Au moins vous aurez pas l'air ridicules, une fois mortes!

Charlotte en ressentit une peine profonde.

Toujours cette prétention et cette crânerie, typiques de Pétula. Elle n'avait pas vraiment idée de la gravité de la situation, mais elle pensait d'abord à rassurer ses troupes avant d'arrêter le véhicule. Elle avait l'étoffe d'un vrai chef.

Elle en avait d'ailleurs le costume : elle portait toujours l'uniforme des pom-pom girls pour ses cours de conduite, ayant un jour surpris le moniteur qui regardait fixement ses... heu, ses accessoires. À la sueur qui avait perlé à son front de sale pédophile, elle avait pressenti qu'elle serait la première de sa classe à obtenir son permis sitôt qu'elle s'était installée dans la voiture.

Charlotte pénétra alors, brutale et maladroite, dans le corps de Pétula, pour l'obliger à appuyer sur la pédale de frein.

Le véhicule s'arrêta dans un crissement de pneus; la manœuvre les projeta vers l'avant, puis vers l'arrière. De nouveau le mouvement expulsa Charlotte hors du corps de Pétula, la tête la première cette fois, donnant un sens bien différent à l'expression «passer à travers le pare-brise».

— Y a intérêt à ce que ça ait pas laissé de marque, grogna Wendy Anderson en détachant sa ceinture, avant d'ôter le haut de son uniforme pour inspecter sa poitrine, à la recherche de la moindre rougeur.

— Trop tard, répondit Charlotte, en apercevant la cicatrice des implants sous le soutien-gorge de celle-ci.

Charlotte s'installa de nouveau dans la voiture. Wendy remit son haut.

Pétula poussa un profond soupir.

— J'ai payé ces chaussures une fortune : pas étonnant qu'elles sachent conduire à ma place ! dit-elle avec un clin d'œil pour les baskets Nike qu'elle était peut-être seule sur Terre à posséder.

Les deux Wendy, aussi pétrifiées que des grenouilles dans du formol, explosèrent d'un rire faux à la blague de Pétula, comme elles approchaient du drive-in.

«Il devrait y avoir un avertissement : ne pas utiliser de véhicule lourd quand vous entrez en possession d'un individu ! songea Charlotte, déçue. La troisième fois est toujours un enchantement», se répéta-t-elle en s'accrochant à la fenêtre du passager, comme Spiderman à la vitre d'un immeuble, pour tenter de pénétrer le corps de Pétula, faisant faire au véhicule une nouvelle embardée dans le virage.

— C'est quoi, ton problème ? demanda Wendy Anderson devant l'étrange comportement de son amie.

— Je... je ne sais pas, répondit Pétula, sincèrement troublée.

— Moi, je sais, annonça Wendy Thomas, non sans quelque méchanceté. J'ai entendu l'entraîneur Burres dire à Damen que s'il n'obtenait pas au moins la moyenne à son examen de physique, il ne le laisserait pas aller au bal de l'Automne.

Apprenant cela, Charlotte crut qu'elle allait s'effondrer.

– Non ! s'écria-t-elle en insistant pour entrer en possession du corps de son idole.

La voiture prit alors de la vitesse et alla percuter le panneau de métal qui signalait l'endroit où l'on passait les commandes.

Pétula appuya par un mauvais réflexe sur la pédale d'accélération, effrayée, agrippée si fermement au volant que ses articulations en devenaient douloureuses. Dix fois, le véhicule vira de droite et de gauche, manqua se fracasser contre un trottoir, un panneau, un mur. Incontrôlable, Pétula faisait des mouvements désordonnés ; on eût dit un match d'ultime combat contre un adversaire invisible qui tentait une dernière fois d'entrer en possession de son corps. C'était un véritable fouillis de bras et de jambes volant dans toutes les directions.

Elles revenaient bon gré mal gré vers le lycée ; la fanfare se trouvait sur le trottoir, répétant le morceau de Marilyn Manson, *The Beautiful People*. Mais la troupe s'écarta bien vite en voyant débouler la voiture qui franchissait la barrière pour rouler sur le terrain d'entraînement dans un crissement de freins, et qui vint percuter le porte-drapeau, ruinant totalement la pelouse derrière elle. Dans sa précipitation, un musicien lâcha son tuba qui alla s'écraser sur le capot du véhicule.

– Qu'est-ce que c'est que ça ? demanda Pétula, profondément dégoûtée.

– Je crois que c'est… un tuba, répondit Wendy Anderson.

– Il y a de la bave, là-dedans ! s'écria de nouveau Pétula, qui fuyait le moindre germe comme la peste. De la bave d'un vulgaire joueur de tuba !

Retrouvant leur sens des priorités, elles s'empressèrent de sortir de la voiture, comme si celle-ci avait pris feu. En ce qui

les concernait, elles se seraient attendues à voir débarquer des hommes de la Nasa, vêtus de combinaisons dernier cri et armés de bombes de désinfectants pour les sauver de cette attaque bactériologique.

Charlotte demeura en retrait, assise dans la voiture toute cabossée, ruminant sa déception. Son échec lui était insupportable.

Le tuba salement amoché rebondissait sur la tôle du capot et les filles s'extrayaient tant bien que mal du véhicule, quand une annonce retentit dans les haut-parleurs.

— Pétula Kensington, chez le proviseur, immédiatement !

10

Dernières volontés

Parce que je ne pouvais m'arrêter pour la Mort
Gentiment il le fit pour moi.
Le Carrosse ne renfermait que nous-mêmes
et l'Immortalité.

Emily Dickinson.

Lâcher prise :
le plus dur à faire,
pour tout le monde.

———◦•⬦•◦———

Pour certains, loin d'être seulement déprimant, c'est un aveu de défaite, un échec. Charlotte était de ceux-là. Lâcher prise signifiait pour elle qu'il était temps d'abandonner tous ses espoirs et ses rêves. Qu'elle s'était battue pour rien. Que la vie n'était qu'un jeu de hasard et qu'elle avait tiré la mauvaise pioche. Non, ce n'était pas possible. La vie ne pouvait pas être si cruelle.

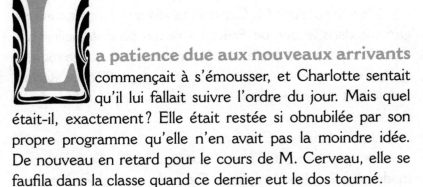

La patience due aux nouveaux arrivants commençait à s'émousser, et Charlotte sentait qu'il lui fallait suivre l'ordre du jour. Mais quel était-il, exactement? Elle était restée si obnubilée par son propre programme qu'elle n'en avait pas la moindre idée. De nouveau en retard pour le cours de M. Cerveau, elle se faufila dans la classe quand ce dernier eut le dos tourné.

– «Elle était si jeune», dit M. Cerveau, penché sur le bureau de Violette la Muette, en la regardant dans les yeux. «Il avait la vie devant lui», reprit-il en se tournant vers Mike.

– Hein? fit Mike, qui n'entendait rien de la leçon.

– «La vie ne faisait que commencer pour eux», conclut le professeur, sourcils froncés, en allant se planter devant Simon et Simone. N'est-ce pas ainsi que commencent à peu près tous les éloges funèbres? demanda Cerveau, revenant vers le tableau comme les élèves hochaient doucement la tête. Qui que soit l'auteur de l'oraison – prêtre, rabbin, pasteur, imam, parent, frère, sœur, professeur ou ami... –, il dit vrai, bien sûr. Mourir dans sa jeunesse n'est pas seulement triste, c'est tragique! Mais non pas pour les raisons généralement invoquées.

Piccolo Pam adressa un regard noir à Charlotte en l'apercevant qui tentait de se glisser dans le fond de la pièce sans se faire remarquer. Car s'il y avait bien quelqu'un qui avait besoin d'entendre cette leçon, c'était elle.

– Tragique, vous l'avez dit! Personne n'imagine un seul instant qu'il faille de nouveau se rendre à l'école, explosa Jerry.

Prue se retourna vers lui avec colère; il ravala aussitôt sa langue.

– C'est vrai, reprit M. Cerveau tandis que Jerry faisait une grimace dans le dos de Prue. La raison pour laquelle vous devez retourner à l'école, une fois morts, ainsi que le montre le film, c'est que vous devez résoudre un problème essentiel que jamais vous n'avez eu la chance de surmonter au cours de votre existence.

– Quoi? demanda Charlotte.

– Un problème différent pour chacun d'entre vous, mademoiselle Usher, répliqua Cerveau qui ne semblait pas avoir remarqué son retard. Un point pour Charlotte. C'est à vous tous, individuellement, de trouver lequel, précisément. Voyez-vous, les bébés et les enfants sont trop petits pour avoir commis de graves erreurs; quant aux personnes âgées, elles ont eu le temps d'apprendre de leurs fautes et de les corriger.» La voix de Cerveau se fit soudain plus profonde. «Les adolescents comme vous ne vivent qu'au jour le jour. Ils sont égoïstes et n'agissent jamais que sur une impulsion, sans se soucier des conséquences pour eux-mêmes ou pour les autres, conséquences qui peuvent cependant se révéler terribles.

– Sans blague, dit Pam, comme le sifflement dans le fond de sa gorge se faisait plus fort.

Pour appuyer son propos, Cerveau demanda à la classe de s'exprimer sur un sujet sensible.

– Que ceux qui voudraient revoir leur famille lèvent la main !

Mike, Jerry, Kim, Pam et les autres regardèrent autour d'eux. Secouant la tête, ils gardèrent les bras résolument ballants. Maintenant qu'elle y songeait, Charlotte elle-même n'avait pas pensé un seul instant à sa famille.

– Voilà ! reprit Cerveau. La preuve ! Vous n'avez guère prêté attention à vos parents, vous ne vous êtes jamais demandé ce qu'ils souhaitaient, de votre vivant. C'est précisément ce qui vous a… arrachés à la vie, dirions-nous, ce à quoi vous devez vous confronter avant de passer de l'autre côté.

Charlotte ne comprenait rien à ce qu'il disait, mais elle pressentait que cette histoire d'attachement à la famille pouvait autant être un bien qu'une véritable malédiction. Non, vraiment ; elle ne pouvait pas être plus attachée à sa vie qu'elle ne l'était déjà.

– En somme, on nous punit en nous gardant ici ? demanda-t-elle. C'est ce que vous voulez dire ?

– Pas du tout, répondit Cerveau en revenant vers le tableau noir. On vous donne une nouvelle possibilité. Faites bien attention : cette classe des Morts est votre dernière chance de comprendre ce qui vous est arrivé, et pourquoi cela s'est passé ainsi pour vous. Et, bien sûr, d'apprendre à l'accepter. Accepter votre mort, mais, plus que cela, vous accepter vous-mêmes. Et… lorsque enfin vous aurez réussi, vous connaîtrez la paix, le repos, et…

– Et on décrochera notre diplôme ! hurla Mike, en bondissant de sa chaise, poings levés vers le ciel.

– Exactement. Mais, le plus important, dans tout cela, c'est que vous allez avoir besoin des autres pour y parvenir.

C'est la raison pour laquelle vous vous trouvez réunis dans cette classe. Ce lien sera aussi fort que le maillon peut être faible!

À cette mention faite du «maillon faible», Charlotte se retourna pour voir si quelqu'un dans la pièce lui jetait en douce des regards accusateurs. Ses yeux ne rencontrèrent que ceux de Prue, fixés sur elle.

Cerveau tira sur une ficelle attachée au tableau noir: le plan de la Mésopotamie s'enroula sur lui-même, pour laisser apparaître une liste rédigée à la craie.

– Bien! Maintenant, reprit-il, abandonnant son ton de prédicateur pour adopter celui d'entraîneur, voici comment vous allez devoir vous y prendre!

Il commença alors à lire chaque mot, tapant de la pointe de sa baguette au fur et à mesure qu'il les énonçait.

1. NOUS AVONS ADMIS QUE NOUS NE POUVIONS RIEN CONTRE NOS IMPULSIONS ÉGOCENTRIQUES ET QUE C'EST À CAUSE D'ELLES QUE NOUS AVONS TROUVÉ LA MORT.

2. NOUS AVONS APPRIS QU'IL EXISTE UNE PUISSANCE QUI NOUS EST SUPÉRIEURE, ET QUI PEUT NOUS AIDER À GRANDIR.

3. NOUS AVONS DÉCIDÉ DE CHANGER.

4. NOUS AVONS PROCÉDÉ À NOTRE INTROSPECTION, ET ACCEPTÉ SANS CRAINTE DE DRESSER L'INVENTAIRE DE NOS DÉFAUTS.

5. NOUS AVONS RECONNU, EN NOUS-MÊMES ET DEVANT LES AUTRES, LA NATURE EXACTE DE NOS ERREURS.

6. NOUS SOMMES PRÊTS À FAIRE EN SORTE QUE CES DÉFAUTS N'ENTACHENT PLUS NOTRE CARACTÈRE.

7. NOUS AVONS HUMBLEMENT DEMANDÉ À ÊTRE DÉBARRASSÉS DE CES DÉFAUTS.

8. NOUS AVONS DRESSÉ UNE LISTE DE TOUTES LES PERSONNES QUE NOUS AVONS BLESSÉES, ET AVONS RECONNU LA NÉCESSITÉ DE NOUS AMENDER AUPRÈS D'ELLES.

9. NOUS AVONS FAIT NOTRE POSSIBLE POUR NOUS FAIRE PARDONNER DE CES PERSONNES, SAUF LORSQUE CELA AURAIT PRÉSENTÉ UN DANGER POUR ELLES OU POUR D'AUTRES.

10. NOUS AVONS POURSUIVI NOTRE INVENTAIRE PERSONNEL ET, LORSQUE NOUS AVONS DÉCOUVERT QUE NOUS ÉTIONS EN TORT, NOUS L'AVONS RECONNU.

11. NOUS AVONS CHERCHÉ À AMÉLIORER NOS RAPPORTS LES UNS AVEC LES AUTRES ET À COMPRENDRE QUELLES ÉTAIENT LES QUALITÉS RESPECTIVES DE CHACUN.

12. NOUS NOUS SOMMES EFFORCÉS DE PORTER CE MESSAGE ET D'APPLIQUER CES PRINCIPES DANS TOUTES LES AFFAIRES NOUS CONCERNANT, Y COMPRIS LORS DE NOS EFFORTS POUR SAUVER LA MAISON ET NOUS SAUVER NOUS-MÊMES.

Tous considérèrent les douze étapes rédigées à la craie comme s'il s'agissait de hiéroglyphes. Charlotte songea un instant à ce qu'elle ressentait autrefois, pendant les devoirs sur table de trigonométrie, quand les seuls mots qu'elle comprenait sur la feuille étaient «nom» et «date».

– Allons, ce n'est pas si terrible! Le principal étant de reconnaître la raison pour laquelle vous êtes morts, puis d'accepter que la responsabilité de cette mort vous incombe, et enfin de trouver ce que vous pourriez faire pour changer ce qui vous gênait chez vous, de balayer ces tares personnelles ou, comme il est écrit dans le programme, de vous défaire de vos dépendances. Si vous acceptez d'admettre vos défauts devant vos camarades, mais, plus que tout, de les admettre au plus profond de vous-mêmes, alors vous gagnerez un aller

simple pour un Monde Meilleur! Cette classe est une cure
de désintoxication : vous devez apprendre à vous libérer de
vos chaînes pour trouver la solution! s'exclama Cerveau,
dans un effort pour rallier ses troupes.

Mais rien de tout cela ne faisait écho en Charlotte.

— Bien, maintenant, allez chercher vos «carnets de mort»,
et nous pourrons ensuite nous rendre dans cet endroit que
j'aime à appeler le Succès.

C'était déjà suffisamment douloureux d'avoir à se
présenter devant toute la classe pour énoncer la liste de ses
défauts, mais découvrir ses pensées les plus sombres, les plus
secrètes, couchées dans votre carnet de mort était une vraie
humiliation. Même pour un défunt.

— Alors, Mike, si nous commencions par vous? proposa
Cerveau à la cantonade, ou, pour être plus exact, disons
qu'il ne lui laissa guère le choix.

Métal Mike sortit son carnet de mort de sa poche et se
dirigea vers l'estrade.

— Salut, je m'appelle Mike, Métal Mike, et j'aime la musique,
dit-il sans grand enthousiasme, pour contenter Cerveau.

— Bonjour, Mike! répondit la classe entière, sans manifester
plus d'entrain.

— Je voudrais partager avec vous ces paroles de sagesse,
qui sont une vraie source d'inspiration et que je porte avec
moi partout où je vais.

Mike s'éclaircit la voix, feuilleta brièvement son carnet,
leva les yeux, et récita de mémoire :

Toujours en noir
Plus le cafard
Trop longtemps, je suis content de rentrer
Oui, je suis enfin libéré
Des liens qui me retenaient prisonnier

Je regarde le ciel
Ça me fait plaisir
Oublie le corbillard, je ne vais pas mourir
Jamais, j'ai neuf vies
Des yeux de chat
Les emmerder tous, vivre libre

— Mike ? C'est une chanson, ça, dit DJ. Pas une remarque personnelle.

— Ben quoi ? La musique, c'était ma vie. C'est personnel. C'est ce qui me cause, à moi.

— Justement, Mike, c'est ça le problème. C'était ta vie. Mais ici, nous ne sommes plus en vie, ajouta Simone.

— Qu'est-ce qu'il y a de mal à s'accrocher à un truc qu'on aime ? Un truc qui remplit ta vie ? demanda Mike, sur la défensive.

— Et qui a fini par te l'arracher... Mike, c'est la musique qui t'a tué. Tu l'as oublié ? demanda Simon.

— La musique tue ! reprit Jerry Tête de Mort, à demi convaincu.

— Non, c'est son amour pour la musique qui a eu raison de lui, dit à son tour Kim.

— Et alors ? Pourquoi je devrais laisser tomber un truc que j'aimais au point d'en mourir ?

— Peut-être qu'il ne s'agit pas de tout laisser tomber ? demanda Charlotte, pour la forme.

— Ouais, t'as raison, c'est trop ça ! Je me fous de passer de l'autre côté ou de trouver une solution, si ça veut dire que je dois abandonner la musique, reprit Mike, têtu.

Pam profita de ce que la classe se lançait dans un débat pour donner un coup de coude à Charlotte.

— T'étais où ? murmura-t-elle, pendant que Mike continuait sa diatribe.

– Oh, mon chauffeur avait du retard, dit Charlotte avec un sourire narquois.

– Oh non, tu n'as pas recommencé !

– Vous pourriez peut-être nous faire partager ce que vous dites ? glissa M. Cerveau, gêné par les chuchotements des deux filles.

L'éternelle question des profs…

– Pourquoi je ne peux pas faire tous ces trucs ? s'exclama Charlotte, à la grande surprise de tous, y compris la sienne.

Le bal de l'Automne n'était plus que dans quelques semaines et l'horloge tournait. Elle commençait à sentir la pression monter.

M. Cerveau se retourna, un peu étonné de ce que Charlotte ait osé répondre, au lieu de se taire, comme il l'avait espéré.

– Quels «trucs», mademoiselle ?

– Ce qu'il y a dans le manuel. Je n'y arrive pas du tout.

– Tu parles d'une surprise ! gloussa Prue, sarcastique.

– Taisez-vous, Prudence, ordonna Cerveau. Vous avez tous eu besoin d'un certain temps pour vous adapter aux règles de l'école, n'est-ce pas ? Elle ne sait pas encore très bien ce que c'est, reprit-il en réfléchissant à ce que Charlotte venait de dire. D'ailleurs, puisque l'on parle de «règles», c'est sans doute la meilleure façon de vous expliquer…

À ce mot, «règles», Jerry, Mike et DJ se mirent à ricaner.

– L'esprit et le corps changent selon des rythmes différents. C'est vrai, en particulier à l'adolescence, n'est-ce pas, messieurs ? reprit M. Cerveau à l'intention des trois garçons qui, comme les autres, ravalèrent leurs ricanements pour se mettre à toussoter, baissant le front. Bien… Ce n'est pas parce que votre corps est programmé d'un point de vue hormonal pour que vos règ… que vos menstruations apparaissent, montrant ainsi que vous êtes physiquement

capables de vous reproduire, que vous êtes émotionnellement ni psychologiquement prêtes pour cela. En d'autres termes, votre corps est celui d'une femme, mais votre esprit celui d'une enfant.

Tous se tortillaient maintenant sur leurs chaises, gênés par la profondeur et la précision des propos de Cerveau.

Pam éleva la voix, à la surprise générale.

– Il veut dire, expliqua-t-elle, que ce n'est pas parce que vous êtes morts que vous êtes prêts à quitter votre vie. Vous n'êtes pas encore déconnectés, mentalement.

– Et jusqu'à ce que vous le soyez, reprit Cerveau, vous ne serez pas capables d'utiliser pleinement ni correctement vos pouvoirs, ce qui est essentiel pour pouvoir aller de l'avant. En fait, essayer avant d'être prêt peut se révéler dangereux, pour vous comme pour les autres.

– Alors, si je comprends bien, il faut que je sois morte «mentalement» pour pouvoir entrer en possession de quelqu'un, ou un truc dans ce goût-là?

Toute la classe se figea en entendant ce mot terrible.

– Tu te crois trop bien pour mourir, c'est ça? railla Prue, plissant les yeux comme un élève bagarreur dans la cour de l'école qui aurait l'intention de se défouler sur un petit.

– C'est très sérieux, Charlotte, reprit M. Cerveau, très agacé.

Charlotte fronça les sourcils, troublée, tandis que le professeur se retournait pour écrire au tableau, agité de tremblements comme s'il était soudain devenu fou.

– Je n'enseigne pas cet art-là, parce que le seul fait d'entrer en possession de quelqu'un ruine tous les efforts effectués en vue de l'acceptation, ce que, précisément, nous essayons d'atteindre ensemble, fit-il en pointant de nouveau de sa baguette chacune des douze étapes au tableau. C'est faire preuve d'un égoïsme sans pareil.

Elle avait de toute évidence touché chez lui un point sensible, ainsi que chez ses camarades de classe.

– En outre, la possession n'est possible que dans les plus extraordinaires circonstances, soupira-t-il dans l'espoir que la fascination de Charlotte pour ce sujet meure dans l'œuf, un peu comme une mère dont l'enfant poserait sans détour une question sur le sexe.

– Quelles circonstances ? demanda Charlotte, totalement découragée.

– Il faut que la personne soit volontaire, et vu qu'aucun d'entre nous n'est visible, nous n'avons guère le choix. Ce doit être accepté de part et d'autre, répondit-il, priant pour clore le sujet.

– De part et d'autre, d'accord, marmonna Charlotte, qui se remémorait sa lutte avec Pétula dans la voiture. Ainsi, il faut être vu par quelqu'un qui accepte qu'on prenne possession de son corps ?

La cloche sonna, délivrant M. Cerveau ainsi que les élèves d'une situation embarrassante. Tous ramassèrent leurs affaires, s'apprêtant à quitter la salle.

– N'oubliez pas : la maison doit être visitée ce soir. Ce soir. Et de même qu'une âme a besoin d'un corps pour vivre, vous avez besoin de cette maison, hurla M. Cerveau comme la classe se dispersait dans les couloirs.

Charlotte resta à traîner dans la salle, absorbée dans ses pensées, s'efforçant de mettre les choses au clair dans son esprit. Au moment où elle passait devant le bureau du professeur, celui-ci l'arrêta.

– Charlotte, est-ce que quelqu'un t'a vue ?

Charlotte, persuadée de ne pas pouvoir s'en tirer facilement, baissa la tête. Glissant son carnet de mort sous le bras, elle se retourna et sortit dans le couloir, tandis que le mot « volontaire » résonnait dans son crâne.

11

Tellement vivante

Ma devise – pas de limites.

Isadora Duncan.

Une aide pour vivre.

—◆◆◆◆—

Intubations, moniteurs cardiaques, intraveineuses, toutes ces machines, vitales pour les malades et les mourants, sont inutiles pour les morts. L'aide dont Charlotte avait besoin en cet instant n'était pas de nature technologique. Elle avait besoin de quelqu'un qui lui fasse suffisamment confiance pour se donner totalement à elle. Non pas quelqu'un qui se contenterait de se tenir derrière elle, mais une personne qui accepterait que Charlotte l'habite, se fonde en elle.

**T**u voudrais faire QUOI? s'écria Scarlet, sidérée, en recrachant sa soupe de petits pois sur la table de la cafétéria.

Elle n'en croyait pas ses oreilles. Non, carrément pas.

Charlotte se renfonça dans sa chaise, fermant les yeux, comme si Scarlet allait lui cracher au visage, et sourit une seconde en songeant à la fameuse scène du film *L'Exorciste*.

De loin, Piccolo Pam suivait leur tête-à-tête depuis le coin des Morts, le cœur légèrement serré.

– Alors, qu'est-ce que tu en penses? demanda de nouveau Charlotte, cherchant les taches de soupe qu'elle aurait pu oublier sur son chemisier, espérant une réponse plus favorable cette fois.

– Tu m'as fait passer pour une folle dans la salle de bains, et maintenant tu réclames mon aide?

– Je suis désolée, je pensais à autre chose...

– Ou bien à quelqu'un d'autre... Et moi? Qu'est-ce que je gagne, là-dedans?

– Tu n'as jamais rêvé de devenir invisible?

– Tous les jours.

– Eh bien, voilà ! La chance de ta vie !

Le visage de Scarlet se fendit d'un sourire narquois quand Charlotte la prit par la main pour la conduire hors de la cafétéria.

– Attends une minute ! Où va-t-on comme ça ? J'ai faim, moi !

– Oui, mais tu ne préférerais pas manger dans la salle des profs ? reprit Charlotte, laissant entrevoir à son amie déjà curieuse l'étendue des possibilités qui pourraient se présenter à elle.

Tandis qu'elles se dirigeaient vers une salle abandonnée, elles poursuivirent leur conversation. Les élèves qui croisèrent Scarlet dans les couloirs pensaient qu'elle parlait toute seule, mais celle-ci paraissait s'en moquer. C'était une chose que Charlotte aimait particulièrement chez elle. Cette absence totale de craintes et de doutes, Scarlet la portait comme un insigne – décidément une chose qu'elle avait en commun avec sa sœur, bien qu'elles fussent radicalement différentes. Pétula était au centre de l'attention de tous, Scarlet une marginale ; l'une cherchait à ce qu'on l'idolâtre, l'autre à ce qu'on l'ignore. Charlotte était loin de l'une comme de l'autre : elle n'était pas suffisamment cool pour qu'on l'apprécie, ni pour qu'on la déteste.

Les deux jeunes filles arrivèrent devant la porte d'une pièce vide au bout du couloir. Charlotte entra la première pour vérifier qu'aucun étudiant ne se cachait dans les coins, puis fit signe à Scarlet que la voie était libre. Elle entra derrière elle et referma la porte. La salle était plongée dans la pénombre. La seule lumière provenait des fluides fluorescents qui bouillaient, bleus, rouges et violets, dans des becs Bunsen. Une super ambiance pour s'allonger sur le sol,

casque aux oreilles, à rêvasser. Mais, dans ces circonstances, ça collait plutôt les jetons.

Toutes deux savaient qu'elles s'apprêtaient à tenter une expérience inouïe, à braver une limite entre la vie et la mort que jamais personne n'avait osé franchir. Elles ne pouvaient prévoir ce qui allait se passer, ni ce qui leur arriverait ensuite, mais toutes deux étaient déterminées à essayer. Parce que, bon, ça valait le coup.

— Combien de temps ça va durer?

— Aussi longtemps que tu le souhaites.

— Alors on est sur la même longueur d'onde, plaisanta nerveusement Scarlet comme Charlotte entonnait l'incantation tirée de son manuel.

— Le livre dit qu'il suffit de répéter ce rituel au début de chaque session. Après, on pourra changer à volonté.

Volontaire, Scarlet l'était, mais elle avait aussi quelques craintes.

— T'inquiète pas, j'ai tout prévu, lui dit Charlotte sur le ton précis et ferme d'un agent du FBI à la tête d'une filature. Je t'ai inscrite, enfin, je veux dire, moi, comme partenaire de laboratoire de Damen. Il a rendez-vous avec moi sur le terrain de foot pour sa séance d'entraînement.

— J'espère que ça va marcher, parce que…, souffla Scarlet sans terminer sa phrase, un peu inquiète des conséquences de leur petit jeu. C'est que j'y connais que dalle en physique, moi!

— Une fois que je serai entrée en possession de ton corps, ce sera différent, fais-moi confiance, affirma Charlotte.

Mais déjà Scarlet laissait libre cours à son imagination : elle refusait tout bonnement d'envisager de rester coincée dans une autre dimension, sans pouvoir jamais revenir à la vie. Peut-être finirait-elle dans un état de narcolepsie, capable de sentir ce qui se déroulait autour d'elle tout

en étant dans l'impossibilité de communiquer. Une sorte d'enfer, où personne ne pourrait l'entendre, où elle serait enfermée dans la faille du continuum espace-temps, entre la vie et la mort. Peut-être pour l'éternité. Et l'éternité, c'est long.

– Je ne comprends toujours pas pourquoi tu tiens à ce qu'il réussisse son examen, reprit Scarlet, autant pour repousser le moment crucial que pour satisfaire sa curiosité.

– C'est ma mission pour gagner l'au-delà : je dois aider Damen. C'était sur le point de se produire quand je suis morte, dit Charlotte, très sincère, sachant très bien que Scarlet avait en elle un détecteur de mensonges d'une efficacité redoutable.

– Donner des cours particuliers de physique à un mec, c'est ça, ta mission pour l'au-delà? demanda Scarlet, devinant en effet que quelque chose ne tournait pas rond dans cette explication.

– Écoute, tu es la sœur de Pétula. C'est logique que tu puisses me voir, rétorqua Charlotte en déposant son *Manuel du savoir-vivre à l'usage des morts* sur la paillasse du laboratoire, de manière à pouvoir lire et faire face à son amie en même temps. Tu es mon unique espoir. Sans toi, je ne trouverais pas la solution...

– Contente de le savoir... Ainsi, mon corps va se diriger vers le terrain de football pour aller donner des cours particuliers à l'un des gars les plus en vue du lycée...

– Personne ne te verra, dit Charlotte en prenant délicatement Scarlet par les épaules, pour l'orienter selon les instructions du manuel. Nos cœurs doivent se trouver l'un en face de l'autre.

– Épargne-moi les détails, soupira Scarlet, grimaçant à l'idée qu'on joue avec le muscle cardiaque qui battait régulièrement dans sa poitrine.

– Hé! La première fois, c'est toujours celle dont on se souvient le plus, non?

– Sûr! Parce que c'est toujours la cata!

– On n'est pas obligées de continuer, si tu n'y tiens pas, hein? On peut arrêter n'importe quand, d'accord?

– Non, non, il n'y a rien de plus tripant que de se faire posséder! répondit Scarlet, signifiant à son amie qu'elle pouvait procéder au rituel.

Charlotte commença alors à lire les instructions du manuel à voix haute. À la lueur des becs fluorescents, elle entonna les incantations.

– «Toi, moi, et notre âme, ça fait trois...»

Scarlet inspira profondément, levant les yeux vers Charlotte tandis que leurs doigts se mêlaient pour se donner force et courage.

– «Moi, toi, et notre âme, ça fait deux...», poursuivit Charlotte comme leurs mains pâles commençaient à fondre, telle de la cire chaude. Toutes deux eurent un mouvement de recul en découvrant cette transformation physique. Leurs deux corps fusionnaient, comme dans une osmose surnaturelle, des pieds jusqu'à leur torse.

«Nous, moi...», récitait Charlotte, tandis que son cœur pénétrait celui de Scarlet. «À l'intérieur de TOI...»

Les yeux de Scarlet, deux prunelles d'un joli brun noisette, n'étaient plus maintenant que deux trous noirs. L'âme de cette dernière s'échappa de son corps pour entrer dans celui de Charlotte. Les yeux de Scarlet reparurent, éclairés d'un éclat bien différent. Ses gestes reflétaient la personnalité de Charlotte désormais.

Consciente du succès de l'opération, Charlotte poussa un soupir de soulagement, attentive aux sensations de son nouveau corps. Scarlet flottait au plafond, les yeux rivés sur son amie qui tâtait chacun de ses membres.

– Hé! Arrête de me peloter comme ça! s'écria la forme spectrale de Scarlet qui commençait à se faufiler entre les lattes du plafond.

– Pardon, répondit Charlotte, distraite, tandis que Scarlet disparaissait tout à fait. C'est que je me sens... tellement vivante!

12

Très occupés

Rien dans le monde ne va seul,
Toutes choses, par une loi divine,
En un esprit se rencontrent et se mêlent –
Pourquoi pas moi en toi?

Percy Bysshe Shelley.

Bouleversement.

Entrer dans le corps de quelqu'un d'autre pourrait se comparer à l'opération qui consiste à poser un anneau gastrique pour traiter l'obésité. On perd énormément de poids, mais, à l'intérieur, demeure cette petite fille aux formes replètes qui crève qu'on l'aime comme elle est. La même noisette, dans une coquille différente. Charlotte était toujours cette drôle de fille qui se sentait rejetée. Qui n'avait pas confiance en elle. Qui aurait aimé qu'on la remarque, mais, dans le corps de Scarlet, ça ne rimait à rien.

Charlotte ouvrit la porte du laboratoire de chimie et sortit à pas feutrés dans le couloir. Elle frémissait d'excitation d'être de nouveau en «vie», et cela se voyait. L'habituel regard noir de Scarlet s'était adouci; une étincelle d'espoir et de gaieté illuminait désormais ses yeux. Les élèves se retournaient sur son passage, surpris de la voir saluer des gens qui lui étaient totalement étrangers avec une chaleur inattendue. Sa personnalité n'était pas seule à avoir changé : son corps aussi semblait différent; sous le contrôle de Charlotte, il n'avait pas les mêmes attitudes ni la même façon de se mouvoir. Sa démarche semblait moins pesante, elle s'était redressée, et – Dieu lui pardonne! – elle paraissait même plus féminine.

Charlotte était agréablement surprise de la facilité avec laquelle elle était entrée en possession de Scarlet, en comparaison de la lutte qu'elle avait menée avec Pétula. Elle se souvenait de la leçon de Cerveau qui rappelait l'importance de la volonté dans ce rituel. Elle lui adressa en secret un remerciement.

– Il sait tout, songea-t-elle, marchant dans les couloirs en caressant les murs de la pointe des doigts de Scarlet.

Elle sentait chaque crevasse, chaque fissure, telle une aveugle lisant le braille, jouissant de ces infimes sensations dont elle avait été privée pour un temps qui lui semblait une éternité.

Mais, en dépit de ce nouveau «souffle de vie» si généreusement offert par Scarlet, Charlotte n'était pas tout à fait convaincue de son projet. Scarlet, après tout, n'était que son plan B. Ce corps, ces cheveux, ces vêtements, ce look… Ce n'était pas ce que Charlotte avait rêvé de posséder. Ce n'était pas ce qu'en général les garçons, et encore moins les plus en vue du lycée, trouvaient, heu… Pour le dire gentiment, elle n'était pas la fille la plus attirante de la Terre. Et puis, ce n'était que temporaire. Or, outre les questions morales, ça allait certainement lui demander des efforts considérables, lui prendre un temps fou, avant de parvenir à convaincre un garçon de laisser tomber sa copine canon pour sortir avec sa petite sœur, une gothique de surcroît.

Certes. Pourtant, Damen avait accouru dans la salle de bains pour lui porter secours, l'autre jour. C'était un début. Charlotte retrouva un peu de sa confiance, et ressentit même un élan de gratitude envers Scarlet. Qui était-elle pour la critiquer ? Que savait-elle de son pouvoir de séduction ? Elle, une pauvre fille forte en physique qui s'étouffait avec un ourson en gélatine !

Charlotte poursuivit son chemin dans les couloirs, souriant à tous ceux qu'elle croisait, et qui n'en revenaient pas de la voir soudain si avenante. Puis elle sortit dans la cour, en direction du terrain de football.

Pendant ce temps, Scarlet s'amusait elle aussi. Après avoir flotté quelques instants au plafond et s'être faufilée au travers des lattes dans les combles avec une aisance surprenante, elle avait erré un instant sans but, se laissant porter dans les airs jusqu'à entendre la voix tonitruante de son professeur de littérature, l'arrogant M. Nemchik, dans la classe juste en dessous. Ce fumier avait tout l'air d'avoir choisi l'enseignement pour le plaisir d'humilier les élèves ! Il était en train d'écrire le sujet de la leçon au tableau avec emphase, comme s'il dictait les Dix Commandements. Elle ne résista pas au plaisir de lui jouer un petit tour.

— Aujourd'hui, nous allons comparer C-h-a-r-l-e-s D-i-c-k-e-n-s et H-o-m-è-r-e, disait M. Nemchik, prononçant chaque lettre à mesure qu'il l'écrivait.

Ce qu'il pouvait l'énerver, celui-là !

Au moment où il se retournait vers la classe pour lancer le débat, Scarlet modifia quelques-unes des lettres, si bien que les élèves purent lire «Charles Ducon» et «Homo». La classe explosa de rire. Nemchik fit volte-face et demeura interdit devant le tableau.

Ensuite, Scarlet passa en cours de biologie, où deux andouilles de joueurs de football, Bruce et Justin, étaient justement en train de se moquer de Minnie, une fille timide et sans défense. Scarlet griffonna à la hâte quelques mots sur un morceau de papier qu'elle fourra dans les mains de Bruce, juste sous les yeux de la prof.

Celle-ci, furieuse, exigea qu'on lui amenât le papier, et commença à lire devant tout le monde : «Justin, je voudrais glisser mes mains entre tes...» Mme Bilitski se tut, navrée.

— Madame, vous avez toujours dit que si vous attrapiez un élève en train d'envoyer un mot à quelqu'un, vous liriez le mot à la classe entière, lui rappela Minnie, reprenant soudain confiance, car elle devinait qu'elle tenait là sa revanche.

Devant ce rappel des règles qu'elle s'évertuait à inculquer à ses élèves, Mme Bilitski ne vit d'autre solution que de reprendre sa lecture. «Je voudrais glisser mes mains entre tes cuisses luisantes de sueur quand tu t'apprêtes à marquer un but. Je lécherai ton odeur, je la garderai sur moi jusqu'à ce qu'on se retrouve dans les vestiaires. À tout à l'heure, après l'entraînement. Je t'aime. Ton poussinet, Bruce.»

– C'est quoi ce délire! s'écria Bruce, dégoûté, tandis que Justin s'écartait de son camarade, comme repoussé par un aimant.

– Alors, vous deux, vous voudriez peut-être nous faire un exposé sur les pulsions homosexuelles refoulées chez les athlètes de haut niveau? demanda le professeur, tandis que tous les regards se tournaient vers les deux footballeurs qui, le rouge au front, se ratatinaient sur leurs chaises.

– Allez, avouez! avouez! s'exclamait Minnie de sa petite voix flûtée.

Le silence embarrassé qui s'installa alors dans la classe amplifia l'humiliation des deux garçons. Scarlet pouffa, très satisfaite d'elle-même, et s'approcha pour taper dans les mains de Minnie. Bien entendu, son geste demeura sans effet.

Elle se rendit alors aux toilettes, son étape suivante dans sa course à la revanche. Là, sur la tablette d'un lavabo, elle remarqua une tasse de cappuccino, qui devait sans doute appartenir à l'occupante actuelle d'une des cabines. Scarlet s'accroupit, et vit qu'il s'agissait de cette pétasse qui la choisissait toujours en dernier, en sport, quand il fallait constituer des équipes. Ah! elle allait voir, celle-là…

Scarlet se redressa et alla tranquillement dans les toilettes d'à côté, où elle ramassa un poil sur la cuvette des W.-C. qu'elle glissa dans la tasse de cappuccino.

C'était un bel après-midi d'automne, idéal pour s'entraîner. Il faisait beau et frais. Les derniers rayons du soleil s'apprêtaient à plonger derrière l'horizon lorsque le sifflet de l'entraîneur retentit dans le vent léger qui soufflait sur le terrain, dispersant çà et là les feuilles pourpres sur la pelouse. Partout, les élèves étaient occupés à faire des exercices et des étirements, cependant que quelques têtes brûlées enchaînaient des tours de piste supplémentaires en guise de punition.

Charlotte s'approcha des gradins, un peu à l'écart. Elle choisit l'endroit où elle étendrait la couverture de tartan qu'elle avait glissée dans le sac de Scarlet en attendant Damen. Elle déplaçait et replaçait le plaid, un peu à la manière d'une vacancière sur la plage, changeant constamment de place sur le sable pour profiter pleinement du soleil et parfaire son bronzage. Ce qui était plutôt comique, parce que la peau de porcelaine de Scarlet semblait ne pas avoir vu le soleil depuis des années.

Finalement, elle décida de laisser tomber le plaid au hasard. Celui-ci fit bien les choses, car il atterrit près d'un carré de fleurs sauvages qui poussaient dans l'ombre. Le tableau était parfait : l'herbe verte, les petites fleurs et la couverture de laine douce. Il ne manquait plus qu'un couple d'amoureux enlacés dessus. Charlotte s'assit, repliant ses genoux, lorsqu'elle vit arriver Damen qui descendait les gradins.

Elle leva le bras pour lui saisir le mollet.

– Qu'est-ce que c'est que ce… ? », hurla Damen, surpris. Il baissa les yeux et, découvrant Scarlet, il se calma. « T'es folle, tu m'as fait peur ! J'ai failli mourir d'une crise cardiaque, dit-il en sautant au pied des gradins.

– Pardon, je n'avais pas pensé à ça, soupira Charlotte, presque pour elle-même.

– Quoi ?

– Heu, je veux dire… Comme ça, tu n'aurais pas à passer ton examen de physique, reprit Charlotte, confuse. Je blaguais, reprit-elle, pressée de changer de sujet. Bon, désolée, j'voulais pas te faire peur. Je savais pas si tu m'avais vue.

– Si, si, répondit-il, perplexe.

«Comment pourrait-on ne pas voir Scarlet ? pensait-il. La discrétion n'était pas son fort.»

– Bien ! Venons-en au fait, fit Charlotte d'un ton soudain professoral. Je serai ton «Amie de Physique».

– Hein ? C'est encore une de tes blagues ? demanda Damen. Je veux dire, on se connaît, non ? Enfin, un peu, du moins.

– Ouais, bien sûr. Pétula, la douche, tout ça…

– Ouais…, fit Damen à son tour.

C'était clair : elle se fichait ouvertement de lui, là.

– Ouais, non, enfin, je voulais dire, tu sais, il me fallait un partenaire de laboratoire à moi aussi, alors j'ai été voir sur la liste, j'ai mis mon nom dans la première case dispo, sans voir que je m'inscrivais avec toi, et c'est trop tard, maintenant ! J'ai signé au stylo indélébile, et les listes sont closes, reprit Charlotte, qui avait conscience de bafouiller lamentablement.

– Hein ? Attends, on recommence plus tranquillement, d'ac ?», demanda Damen en posant gentiment sa main sur son épaule pour l'inciter à se rasseoir. Son geste était doux, mais il avait quelque chose d'impérieux. «Jolie couverture. J't'imaginais plutôt avec un plaid noir, reprit-il sur le ton de la plaisanterie en s'installant à ses côtés.

Charlotte ne comprit pas tout de suite.

– Ah ! s'exclama-t-elle après quelques instants. Oui, la serviette noire dans la salle de bains !

Alors elle partit d'un rire un peu trop appuyé à son goût.

Damen pouffa lui aussi, avant de sortir son livre de physique. Il se pencha alors sur celui de Charlotte, qui était recouvert d'un papier brun décoré d'un autocollant où l'on lisait : «La gravité, c'est lourd!»

— Bon, on s'y met? suggéra-t-elle en tapotant du doigt l'autocollant.

— Je ne capte pas, répondit-il, sourcils froncés.

Charlotte demeura un moment silencieuse.

— Tu dois me prendre pour un abruti, reprit-il, embarrassé par sa propre bêtise, alors qu'il était sans doute le garçon le plus courtisé de tout le lycée.

Comme s'il avait conscience qu'ils étaient quelques-uns, parmi lesquels Scarlet, à le traiter de naze derrière son dos. D'ailleurs, le fait même que leur cours particulier ait lieu dans un coin aussi reculé du terrain prouvait que Damen n'était pas si sûr de lui qu'il le paraissait.

— Non, pas du tout, répondit Charlotte avec gentillesse.

— Ça fait drôle de prendre un cours avec la petite sœur de ma copine, lâcha-t-il en jetant des coups d'œil furtifs entre les bancs des gradins, en direction de Pétula qui faisait des étirements, plus loin, dans son uniforme de pom-pom girl, avant la répétition de la chorégraphie de l'équipe. Alors... ça te dérangerait que ça reste... euh, entre nous?

— Tout ce qu'on fera ensemble restera strictement confidentiel, répondit-elle, laissant libre cours aux fantaisies les plus folles de son imagination. Tout.

Ces formalités échangées, Charlotte et Damen se mirent au travail. Elle était peut-être totalement sous le charme de Damen, mais, sitôt le cours commencé, elle devint soudain très sérieuse. Le bal de l'Automne était en jeu. Résolue à ne pas oublier cette récompense, elle refusait de se laisser distraire, même par sa propre passion.

De son côté, Damen fit des efforts pour rester concentré. Mais, après quelques instants, son regard se mit à divaguer. Sentant qu'il avait besoin d'une pause, elle leva la tête pour voir où il regardait. Bien sûr : les épreuves de sélection des pom-pom girls avaient commencé.

– Tu sais, dit-elle, je pensais sérieusement à m'inscrire.

– Ouais, c'est ça, prends-moi pour un cake, aussi ! Comme si je ne savais pas que tu mourrais plutôt que d'enfiler leur uniforme !

Alors, sans crier gare, Charlotte referma le livre, se redressa sur ses pieds et se dirigea vers le terrain de football. Tout d'abord sidéré, Damen pouffa, s'attendant à une nouvelle farce de sa part.

Les deux Wendy dirigeaient les opérations, raides comme des gardiens de prison ; elles vérifiaient les noms sur les listes avec les cartes d'identité et scrutaient les candidates d'un regard impitoyable, à la recherche du moindre poil qui aurait échappé à leur vigilance. Elles remettaient ici une barrette en place, corrigeaient là un trait de mascara, faisant défiler les filles les unes après les autres pour qu'elles soient impeccables lorsqu'elles se présenteraient devant Pétula pour les sélections.

Depuis les gradins, Damen surveillait la file, pariant avec lui-même qui trouverait grâce aux yeux de cette dernière, lorsqu'il aperçut Charlotte – ou plutôt Scarlet – en fin de queue. Ses chances à elle ? Très minces. Elle n'était absolument pas à sa place parmi ces prétendantes au titre de Miss États-Unis.

Charlotte déchira un pan de sa jupe et le découpa avec une lame de rasoir que Scarlet gardait toujours dans sa poche pour faire des pompons. Original, certes, mais cela ne lui garantirait pas de se faire des amies, ni d'influencer les deux Wendy. Les autres filles de la queue ne se

distinguaient en rien les unes des autres ; elles portaient toutes l'uniforme du lycée, jupette et haut blancs, et arboraient toutes les mêmes coiffures et les mêmes jambes parfaites.

Les deux Wendy virent Charlotte en arrivant à la fin de la file. Elles eurent un mouvement de recul en découvrant son costume maison et ses pompons, mais, plutôt que de la renvoyer tout de suite, elles décidèrent de se payer un peu sa tête, voyant là une occasion unique de l'humilier.

— Regardez-moi ça, gloussa Wendy Thomas. Satan vient nous rendre une petite visite ! Trop drôle, décidément.

Les deux jeunes filles se retournèrent vers les candidates.

— Est-ce que l'une d'entre vous aurait ses ragnagnas ?

— Non ! s'écrièrent-elles toutes ensemble en pouffant de rire.

— Non ? Dommage Vampirella, pas de sang en rayon, fit Wendy Anderson sur un ton faussement navré.

— Je suis là pour les sélections, affirma Charlotte.

Les deux Wendy se consultèrent du regard.

— J'ignore à quel jeu elle joue, mais laissons-la se ridiculiser elle-même, murmura Wendy Anderson, curieuse.

— Croisons les doigts ! renchérit sournoisement Wendy Thomas. J'en connais une qui va sérieusement flipper !

Elles se plantèrent alors face à Charlotte afin de délivrer leur verdict.

— Il reste bien une place, non ? railla Wendy Thomas, à la surprise offusquée de toutes les candidates.

— Oui, oui, acquiesça l'autre Wendy.

— Je ne sais pas ce que tu fais là, mais je te garantis que tu vas regretter d'être venue, reprit Wendy Thomas.

— Je suis là pour entrer dans l'équipe, affirma Charlotte avec un grand sourire qui balaya l'expression grincheuse de Scarlet, pourtant son signe distinctif.

– Tu vas… mourir ! lâcha Wendy Anderson avec mépris en examinant Charlotte de la tête aux pieds, avant de griffonner un numéro sur un badge qu'elle lui tendit.

Charlotte épingla fièrement son badge sur son chemisier. Le numéro 666.

Damen fronça les sourcils, inquiet de savoir ce que lui réservaient les deux Wendy. C'est alors que Pétula s'approcha.

– Quoi ? Vous pouvez m'expliquer ce que fait cette sale petite merdeuse sur MON terrain ?

ᘒ

De son côté, Scarlet s'amusait comme une folle. Elle se dirigea vers la salle des professeurs, indifférente à ce que pouvait manigancer Charlotte dans son propre corps.

Alors, voilà donc l'endroit où ils campent ! se dit-elle, observant les professeurs qui buvaient leur café en discutant.

Elle remarqua un couple qui se faisait du pied sous la table. L'une portait des chaussures à hauts talons, et l'autre une paire de grosses bottes noires. Des femmes, toutes les deux.

– Je le savais ! s'exclama Scarlet en s'asseyant sur le rebord de la fenêtre, tout excitée d'avoir percé à jour un tel secret.

L'une d'entre elles, sentant un courant d'air, se leva pour aller refermer la fenêtre. Elle vint se poster juste devant Scarlet et demeura quelques instants à regarder dans la cour. Scarlet commença à se sentir un peu nerveuse.

– Oh, mon Dieu ! s'écria la jeune femme.

Scarlet crut que tout était fini, qu'on l'avait repérée. Effrayée, elle fila se cacher dans un coin.

La prof ouvrit en grand la fenêtre, faisant signe à ses collègues de venir voir par eux-mêmes. Tous se précipitèrent

auprès d'elle. Curieuse, Scarlet céda finalement à la tentation de les imiter.

– Nom de… ! s'exclama-t-elle, comme elle se tenait entre deux hommes, profondément choquée par ce qu'elle avait sous les yeux.

– N'est-ce pas la petite gothique, là-bas ? demandait avec un sourire narquois Mlle Perle, l'une des deux femmes dont elle venait de découvrir le secret.

Charlotte gesticulait dans tous les sens, ne ménageant pas ses efforts.

Elle y mettait même tout son cœur. Jamais les entraîneurs ou encore Pétula n'avaient vu quelqu'un dépenser une telle énergie. Damen, quant à lui, debout sur les gradins, était hilare. La pantomime de Charlotte autant que l'air effaré de Pétula l'amusaient manifestement beaucoup.

– *Allez, les Aubépines ! Allez, allez, allez !* hurlait Charlotte, ponctuant chacun de ses mots par un petit saut ou un geste des bras.

Alors Scarlet se lança dans une course effrénée à travers les couloirs, pressée de mettre un terme à cette humiliation publique à laquelle elle était soumise – enfin, son corps. Cependant, Charlotte continuait son petit manège, totalement inconsciente de la présence de Scarlet.

– *Allez, les Aubépines ! Allez, allez, allez !*

Terrifiée par ce qui ne manquerait pas d'arriver si elle la laissait faire, Scarlet décida d'intervenir. Elle se précipita contre Charlotte, envoyant celle-ci dans les airs tandis qu'elle réintégrait violemment son corps. Alors, reprenant le contrôle d'elle-même, elle termina la petite chorégraphie… à sa façon.

– Que l'équipe des Aubépines aille se faire foutre ! hurla-t-elle en retombant sur ses pieds après un petit saut.

La rumeur avait déjà couru : un groupe s'était formé sur les abords du terrain de foot pour admirer le numéro de Scarlet. Les autres candidates, se sentant menacées, se réunirent en cercle pour comploter contre elle.

Les filles se séparèrent après s'être frappé dans les mains, et, tout sourires, vinrent se placer en ligne devant Scarlet. Trois d'entre elles firent un pas en avant – Pétula et les deux Wendy – pour commencer leur petite danse. Scarlet n'avait pas l'avantage du nombre, mais elle était prête pour l'affrontement. Wendy Thomas s'avança tout d'abord et se mit à chanter :

– Foutre ? Un truc que tu ne connais pas !
Nous, au moins, on n'est pas moches comme toi !
Sûr, ce n'est pas un gars qui te courtisera,
Avec ta tête de mort et tes fesses de rat !

Elle s'applaudit elle-même et rentra dans le rang. Scarlet demeura un moment immobile, sans broncher, puis s'avança pour répondre.

– Courtiser ? Un mot bien subtil
Pour des grosses débiles !
Mais pas besoin d'être diplômée,
Pour se faire tout le temps tripoter !

Scarlet leva l'index pour marquer un point imaginaire au tableau. Wendy Anderson s'avança alors après un petit saut sur place et déclama :

– C'est seulement dans tes rêves
Qu'un garçon, ma pauvre, un jour
Posera un baiser sur tes lèvres
Et te dira des mots d'amour !

Satisfaite, elle rejoignit ses camarades. Mais déjà Scarlet lui répondait :

– Moi, au moins, je ne compte pas
Les jours de retard
Et je ne risque pas
De polichinelle dans l'tiroir !

Les garçons de l'équipe de foot explosèrent de rire à cette sortie, séduits par la repartie de Scarlet, qui soufflait sur son index et son majeur comme sur un revolver après avoir fait feu. Un tonnerre d'applaudissements retentit.

– Non ! gémit Charlotte, voyant s'effondrer ses rêves d'impressionner Damen et d'être acceptée dans la bande de Pétula. Elle se sentait peut-être aussi mal que les deux Wendy, dont l'orgueil venait d'être salement amoché.

La foule grandissait aux abords du terrain et, aux fenêtres du lycée, on voyait des dizaines de visages agglutinés pour assister à la scène. Tous attendaient le clou du spectacle. Partout, la tension était perceptible. C'était maintenant le tour de Pétula. Il fallait frapper fort et se montrer originale, elle le devait à toute sa troupe. Alors, au lieu de chercher des rimes, elle saisit les poignets des deux Wendy, et toutes trois entonnèrent un refrain méchant et percutant. Elle avait choisi ses mots, exprès pour blesser Scarlet. Des mots dont seule une sœur pouvait connaître le poids.

– Si tout le monde te rejette,
Taille-toi les veines !
Si tu te sens déprimée,
Taille-toi les veines !
Si t'as besoin d'être aimée

Ou que t'as pas de copains,
Taille-toi les veines!

Pétula et les deux Wendy se retournèrent vers le public dans une petite révérence, rendant plus cruelle encore l'humiliation de Scarlet.

Celle-ci s'avança, tête haute, vers la file des pom-pom girls et, sans même un regard pour les deux Wendy, vint se planter devant la Reine des Pétasses, sa sœur, Pétula.

– Après le lycée
Tu auras très vite
Plein de cellulite
Et le père de ton bébé
Se sera déjà barré!

– Ohhhh! s'exclama en chœur toute la foule assemblée, gênée pour Pétula.

Scarlet commençait à se sentir portée par le succès lorsque Charlotte essaya de nouveau de s'immiscer dans son corps. Qu'elle veuille aider son amie ou bien lui faire part de sa jalousie, Charlotte était bien décidée à lui demander de se calmer.

– Qu'est-ce que tu fabriques? Arrête! Tu as tout fait rater!

– Moi? s'emporta Scarlet. T'es gonflée! C'est pas moi qui me suis humiliée devant tout le monde à tenter les épreuves de sélection pour les jeux Olympiques!

Leurs deux esprits s'affrontèrent dans une lutte acharnée qui envoya valser Scarlet dans les airs, telle une poupée de chiffon, défiant les lois de la gravité. Les deux jeunes filles se débattaient, donnant des coups dans tous les sens : de ce combat, on ne voyait que les bras et les jambes de Scarlet

qui pivotait sur elle-même comme un derviche tourneur sur l'herbe du terrain.

La foule était en transe, fascinée par la dimension surnaturelle de ce final.

Les applaudissements se turent lorsque Scarlet reprit possession de son corps, cependant qu'elle se débarrassait de Charlotte en la repoussant violemment sur le sol.

Dans sa lutte, Scarlet avait écrit « Allez, les Aubépines » sur l'herbe. Les spectateurs la regardaient, bouche bée, depuis les hauteurs des gradins ou les fenêtres du lycée.

– On ne peut pas nier qu'elle a du talent, fit l'une des candidates, dépitée.

– Oui, c'est parce que c'est ma sœur, déclara Pétula, qui ne perdait jamais une occasion de tirer à elle la couverture.

Les filles se réunirent pour discuter entre elles, puis, après quelques instants, s'approchèrent de Scarlet.

– Bon, voilà, dit à regret Pétula. On a décidé que... tu faisais désormais partie de l'équipe.

– Et pour fêter ça, renchérit Wendy Anderson, soirée pyjama ce soir chez Pétula... Enfin, chez vous. RAF.

– RAF ? demanda Scarlet, un peu sceptique devant cette manifestation d'amitié de la part de ses ennemies jurées.

– Réservé Aux Filles, expliqua Wendy Thomas.

– Tu es l'une des nôtres, maintenant ! s'exclamèrent en chœur les deux Wendy, la prenant par le bras, pour symboliser son entrée dans la bande.

Scarlet s'éloigna alors, mortifiée, sur le terrain de foot.

– J'ai réussi ! hurla Charlotte, comme son spectre flottait à quelques centimètres au-dessus de la pelouse, littéralement enchantée de cette chance inespérée.

Elle s'assit ensuite sur les gradins pour assister à la suite des épreuves de sélection, se répétant sans cesse qu'elle faisait enfin partie du groupe d'amies de Pétula. Elle se retourna

pour voir Scarlet qui tournait à l'angle du terrain, rattrapée par Damen.

– Comment t'as fait ça? lui demanda-t-il, admiratif.

– Des années de refoulement! répondit Scarlet, pince-sans-rire, en apercevant la couverture sur l'herbe et le livre de physique, et priant pour se réveiller de ce cauchemar.

13

Le déclin
de la maison Usher

Les yeux des autres sont nos prisons ;
leurs pensées, nos cages.

Virginia Woolf.

Être dans la peau d'un autre est une expérience épuisante.

———◆◆◆◆———

Oui, c'était peut-être bidon, mais toujours préférable à être toute seule. C'était ainsi que Charlotte voyait les choses. Elle essayait de se convaincre qu'elle faisait tout ça pour le bien de Scarlet également ; elle lui rendait service, en un sens, en lui permettant d'être acceptée dans la bande des filles les plus en vue du lycée. Parce que ce n'était pas bon de rester à l'écart tout le temps comme ça. D'après son expérience, c'était s'exposer aux critiques et aux remarques acides. Rester en marge signifiait la mort sociale. Mais une question demeurait : valait-il mieux traîner tout seul, la peur vissée au ventre de se prendre une vanne à tout instant, ou se fondre dans la masse, entouré de gens qui vous ressemblent, qui font les mêmes gestes au même moment, et qui semblent prêts à sacrifier leur vie pour vous ? L'instinct de survie gouverne tout un chacun, et vouloir être populaire, c'est de l'instinct de survie.

Charlotte arriva très en avance, tout excitée à l'idée d'être acceptée dans une bande comme celle-là pour la première fois de sa vie. Devant la porte de la maison de Pétula, elle songea d'abord à appuyer sur la sonnette, puis changea d'avis. Elle décida de remonter l'allée, tout simplement. Les choses devenaient progressivement plus faciles.

Dans le salon, elle trouva le corps quasi inanimé de Scarlet, étendue sur le canapé, des lunettes noires sur le nez, l'air totalement abattue et déprimée.

– Regardez-moi qui voilà! La fille qui a les meilleures idées du monde! railla Scarlet sans même relever la tête.

– Jolies lunettes, répondit Charlotte pour briser la glace.

– Alors comme ça, je serais la seule à avoir la gueule dans le pâté, après notre petite cérémonie d'aujourd'hui? reprit son amie en regardant par-dessus ses lunettes. Non mais, franchement : la troupe de nazes, là?

– Damen me regardait à peine, alors j'ai pensé qu'il s'inté-resserait à moi si je m'engageais dans l'équipe, répliqua Charlotte pour sa propre défense.

Scarlet ne broncha pas.

– Écoute, je ne savais pas que ça marcherait! Mais ça va être plus simple, maintenant que tu es l'une des leurs. J'apprécie énormément ce que tu fais pour moi, ça va m'aider à trouver la solution… Tu verras!

– Non, je ne vais rien voir du tout. Trouve-toi une autre pomme. J'en ai déjà vu bien assez.

– Qu'est-ce que tu veux dire?

– Tout simplement que j'en ai ma claque. Les plans foireux, j'ai donné, dit Scarlet.

– Mais c'est toi qui disais que t'étais toujours à la traîne! Allez… C'était pas super, d'être invisible, et de pouvoir faire tout ce que tu voulais?

Scarlet demeura un instant silencieuse; elle avait adoré ça, en vérité. Mais hors de question de l'admettre.

– Allez, avoue… Le pied, non? Pas de frontière, pas d'interdit, pas d'autorité, reprit Charlotte en lui donnant une petite bourrade. À bas le pouvoir!

– Ouais, ouais, c'est bon, arrête ton char, avec tes discours anarchistes à deux balles. Tout ça, ça t'arrangeait bien. Écoute, je n'ai pas dit que c'était pas super, mais…

– Hé, on peut peut-être monter un peu les enchères, hein? Histoire de rendre le jeu plus excitant? insista Charlotte, qui avait de la suite dans les idées.

– Ah ouais, et comment?

– J'sais pas, qu'est-ce que tu dirais d'une petite soirée pyjama *chez moi*, pendant que je prends ta place?

– À la résidence des Morts? demanda Scarlet, soudain prise d'impatience.

Au manoir des Aubépines, Prue prit la parole devant toute l'assemblée des élèves réunis pour leur petite «séance d'effroi collectif».

– OK, bon, alors comment allons-nous procéder exactement pour faire croire aux acheteurs potentiels de cette maison qu'elle n'est pas aux normes? aboya-t-elle en parcourant la salle du regard pour distribuer les rôles. Jerry! Tu t'occuperas de la plomberie.

– Ouais, fais de cet endroit une puanteur, comme les pieds nus de Britney Spears sortant des toilettes publiques! ajouta Coco.

Jerry Tête de Mort fit le signe de la paix, indiquant qu'il était partant.

– Bud, tu seras chargé de faire pencher la maison! Bon, où est notre petite étudiante allemande?

Une petite fille en état de décomposition avancé leva la main, tandis que des asticots lui sortaient des pores en grouillant.

– Ah! Rita la Pourrie, tu dirigeras la patrouille des vermines.

– Oui! Des cafards partout, comme les paparazzis autour de Brad Pitt et d'Angelina Jolie! s'exclama Coco, toujours plus excitée.

Prue ouvrit les portes par télékinésie : tous les élèves se précipitèrent hors de la salle de réunion. Elle remarqua alors l'absence de Charlotte.

– Où est Usher?

Piccolo Pam se mit à trembler, ce qui eut pour effet de produire un sifflement aigu dans sa gorge.

– Pam, pourquoi ton piccolo joue-t-il toujours des notes aussi stridentes? demanda Prue avec un air suffisant. Tu sais où se trouve Usher?

– Elle m'a demandé, euh… de prendre des notes pour elle, répondit-elle au pied levé.

– Souviens-toi bien de ce que je vais te dire : elle a INTÉRÊT à ramener sa fraise le plus vite possible, fit Prue en s'approchant à quelques centimètres du visage de Pam, menaçante. Si elle ne veut pas que je fasse de son séjour ici un *enfer*…

∂∾

Les deux Wendy se présentèrent chez Pétula pour la soirée pyjama avec des affaires pour presque un mois : sacs, fourre-tout et valises Vuitton. Après avoir sonné, elles déposèrent leur barda sur le perron et se récitèrent pour la millième fois ce qu'avait dit Scarlet cet après-midi-là.

– Très vite plein de cellulite…

– Le père de ton bébé se sera déjà barré…

Dans la maison, à l'étage, Charlotte avait fini par avoir raison de la résistance de Scarlet, qui avait accepté une nouvelle fois de lui prêter son corps.

– Oh, une chose encore, avant que tu y ailles. Il ne faut pas que tu aies peur de ce que tu verras, l'avertit Charlotte d'un ton détaché. C'est juste pour une mission, ce soir…

Scarlet hocha la tête.

– Et puis, il y a cette fille, Prue…

– Oui ?

– Rien. Essaye de ne pas te trouver en travers de son chemin, d'accord ?

– D'ac !

– Promets-le, dit Charlotte en prenant son amie par les épaules pour la regarder droit dans les yeux.

– Je ne l'approcherai pas, je te promets. Tu me fais un peu flipper.

– De toute manière, tout le monde sera trop occupé pour remarquer ta présence.

– Oui, et toi non plus, il ne faut pas que tu prennes peur, ce soir! dit Scarlet avant de disparaître dans le ciel dégagé de cette nuit d'automne.

Toutes deux étaient impatientes de voir ce que la soirée leur réservait; elles ne voulaient pas rater un seul instant de ces réjouissances.

Charlotte entendit la sonnette et se précipita dans l'escalier, puisque Pétula ne semblait guère pressée d'accueillir ses amies. Comme elle leur ouvrait la porte, elle afficha un grand sourire hypocrite, le même que celui des deux Wendy.

– Maintenant que vous êtes là, on peut commencer! s'écria la fausse Scarlet sur un ton légèrement trop enthousiaste, tandis qu'elle appuyait sur la touche PLAY de sa chaîne.

La musique retentit, de nouvelles amies arrivaient; alors seulement Pétula daigna sortir de sa chambre, traînant le pas, en rogne contre sa sœur qui, fait incroyable, lui volait la vedette.

જી

À l'autre bout de la ville, on sonnait également à une porte. Mme Wacksel, l'agente immobilière chargée de la vente du manoir des Aubépines, se tenait sous le porche, un rien tendue. Elle s'apprêtait à faire visiter la maison aux Martin, un jeune couple inquiet qui cherchait une affaire. Ils espéraient acheter une relique pour une somme modique, la retaper et en tirer plus tard un bon prix. Un vent froid soufflait; rester dans les courants d'air devenait de plus en plus pénible. Mme Wacksel avait quelques doutes déjà: la demeure n'était peut-être pas tout à fait vide, mais elle s'efforçait de faire bonne figure devant le jeune couple.

Derrière eux, un énorme panneau «À vendre» se balançait en gémissant dans le vent. Piccolo Pam, perchée dans les branches d'un arbre mort au tronc tordu, cherchait désespérément Charlotte. Les notes mélancoliques qui s'échappaient de sa gorge se mêlaient à la plainte du vent, mélodie lancinante et triste qui allait accompagner Mme Wacksel dans sa visite.

– Pourquoi sonnez-vous si la maison est inhabitée? demanda l'homme, pressé de pénétrer à l'intérieur.

– Vous avez totalement raison, monsieur Martin, dit Mme Wacksel, nerveuse. Où avais-je la tête? J'ai la clef.

Alors, se ressaisissant, elle glissa la vieille clef en forme de squelette dans le verrou. La porte refusa de céder. À chaque tentative, la clef était repoussée vers l'extérieur.

– Non, non, il n'y a plus personne depuis belle lurette dans cette maison, répétait-elle sans cesse, tout en triturant la serrure.

Si Mme Wacksel avait pu voir Violette la Muette, de l'autre côté de la porte, bouchant le verrou de son petit doigt, jamais elle n'aurait insisté. Mais l'agente était une femme opiniâtre; la seule pensée de la commission qu'elle pouvait tirer de cette vente suffisait à la motiver.

– Cette maison a énormément de… personnalité, déblatérait-elle, de plus en plus mal à l'aise devant le jeune couple, quand finalement elle parvint à ouvrir, profitant d'un instant d'inattention de la part de Violette.

Une brèche s'était ouverte dans les premières lignes de défense. Violette la Muette disparut aussitôt, pour reparaître au sommet des marches de l'escalier central, avant même que le couple ait pu franchir le seuil de la maison. Elle se mit alors à dégorger une espèce de liquide poisseux et noir comme du goudron, qui lui coulait de l'estomac jusque sur le plancher et dans les interstices du bois.

– Entrez dans mon salon, disait l'araignée à la mouche, fit Mme Wacksel en poussant la lourde porte de châtaigner avant d'inviter le couple à entrer.

Un courant d'air glacé les accueillit aussitôt.

– C'est étrange, observa Mme Martin, il fait plus froid ici qu'à l'extérieur.

– Nous n'allumons pas le chauffage avant le milieu de saison, répondit l'agente en regardant alentour pour repérer s'il y avait une vitre cassée à l'une des fenêtres, ou peut-être une autre explication à ce froid pénétrant. De toute façon, ajouta-t-elle avec un sourire crispé, ces vieilles demeures sont toujours traversées de courants d'air, n'est-ce pas? Cela fait partie de leur charme, ma chère. Une couverture supplémentaire, un petit câlin, et ce sera vite oublié!

Le trio entra dans le vestibule et se dirigea vers le salon, mais les lattes du plancher glissaient tellement que leur progression fut extrêmement ralentie. Dix fois, ils manquèrent s'étaler de tout leur long sur le sol.

– Ouah! s'exclama Mme Wacksel, qui s'efforçait de rester debout tout en veillant sur ses clients, on ne fait plus de cire comme ça, de nos jours! Dans le temps, on passait une couche... une fois par siècle!

Après avoir traversé le hall et repris le contrôle d'eux-mêmes, ils pénétrèrent dans le salon, où ils admirèrent la hauteur des plafonds, la cheminée de brique, les moulures, ainsi que les boiseries, toutes d'origine et toujours en parfait état. Le détail des sculptures, leur finesse, ainsi que le bois du plancher et de la rampe d'escalier étaient tout simplement magnifiques.

– On ne trouve pas ce soin dans l'artisanat d'aujourd'hui, fit remarquer M. Martin, qui calculait en secret le profit qu'il pourrait faire à la revente.

– Non, c'est certain, acquiesça Mme Wacksel, repoussant du pied les petits tas de sciure discrètement laissés dans les coins par Suzy les Ciseaux.

C'est alors que M. Martin vit un meuble bouger. Le mouvement était si imperceptible qu'il crut tout d'abord que ses yeux lui jouaient des tours. Avait-il bel et bien vu le fauteuil de toile rebrodé de fleurs roses se déplacer de quelques centimètres ? Bientôt, tous trois remarquèrent que la pièce était en train de… rétrécir.

Bud, caché sous les lattes du plancher, avait soulevé l'une des poutres, ce qui avait eu pour effet de faire pencher sensi-blement la maison. Comme les meubles se rapprochaient, les visiteurs furent obligés d'admettre qu'il se passait là quelque chose d'anormal. Mais Mme Wacksel balaya les inquiétudes du jeune couple d'une boutade totalement irrévérencieuse.

– Comment on appelle ça en Asie, déjà ? Le feng shui ? C'est ça ? demanda-t-elle en pressant ses potentiels clients vers la salle de bains, à l'étage.

La seule chose qu'ils virent de la salle de bains était le rideau de douche, tiré au-dessus de la baignoire de porcelaine sur pieds en forme de pattes griffues. Leur imagination déjà bien éprouvée s'emballa, leur représentant ce qui pouvait bien se tapir derrière ce rideau. Prue commençait à s'inquiéter : les habitants du manoir n'avaient plus guère d'idées, et les visiteurs auraient déjà dû prendre leurs jambes à leur cou, à cette heure. Ils n'avaient pas compté que l'appât du gain pût supplanter leur terreur. Prue fit alors signe à Jerry, Mike et Bud, qui se trouvaient dans la salle de bains : il était temps d'agir.

Mme Wacksel s'avança vers la baignoire comme si elle marchait sur des œufs, puis, retenant sa respiration, tira le rideau de douche. Rien. Le jeune couple se pencha, curieux, pour voir ce qui se cachait là. Un jet d'eau brunâtre jaillit au même instant de la bonde.

Mike, Jerry et Bud avaient en effet modifié le trajet de la tuyauterie ; activant une pompe, ils aspergèrent le jeune couple des eaux usées qui avaient une odeur infâme.

Mme Wacksel s'empressa de conduire les Martin en cuisine, afin qu'ils puissent se débarbouiller, craignant qu'à cause de ce regrettable incident la vente ne lui passât sous le nez.

— Tu disais que tu recherchais une maison à rénover ? fit M. Martin, résolument optimiste, dans un effort pour consoler son épouse qui avait de la boue partout dans les cheveux et jusque sur ses vêtements.

Mme Wacksel poussa un soupir de soulagement, infiniment reconnaissante à son client de cette remarque. Comme ils se nettoyaient, le couple demeura quelques instants en contemplation des placards. Le mari ouvrit une porte. Aussitôt, un flot de bestioles, furieuses du dérangement, se déversa sur le carrelage de la cuisine. Elles sortaient par vagues de tous les orifices du corps de Rita la Pourrie, y compris des orbites laiteuses de ses yeux.

Mme Wacksel plongea la main dans son sac de cuir, d'où elle extirpa une bombe gigantesque de répulsif.

— Il me semble que ce sont des termites, gémit Mme Martin, dégoûtée par la masse de ces petites bêtes grouillant autour d'eux.

— Les apparences sont parfois trompeuses ! s'exclama Mme Wacksel, aspergeant les insectes de produit.

☙

D'apparence, on ne cessait de parler également, dans la chambre de Pétula, où toutes les filles étaient occupées, qui à se limer les ongles, qui à se les vernir, tout en bavardant gaiement. Charlotte s'amusait comme une folle. Cette

petite réunion au sommet des filles les plus populaires du lycée lui plaisait énormément. Toutes avaient revêtu leur nuisette de satin rose, sur le modèle de celle de Pétula, à l'exception de Charlotte, qui portait une combinaison de soie noire rehaussée de dentelles qu'elle avait dénichée au milieu des fripes de Scarlet. La conversation portait sur les garçons avec qui elles se rendraient au bal d'Automne : qui était déjà invitée, qui ne l'était pas encore, et leurs projets à ce sujet...

— Il est mignon, c'est vrai, mais je te rappelle qu'il est sorti avec cette garce du lycée des Muguets, disait Wendy Thomas, dénigrant une suggestion qui venait de lui être faite, cependant qu'elle ôtait le vernis noir des ongles de pieds de Scarlet, bien décidée à les repeindre en rose.

— Tu vas bien finir par trouver quelqu'un, tu es mignonne.

— Mais je sais !

Pétula, qui était coincée entre les deux Wendy, se retourna vers Wendy Anderson, sur sa droite.

— Je n'arrive pas à le croire. Regarde-la ! murmura-t-elle au sujet de Scarlet à l'oreille de son amie.

— La pauvre. Peut-être que l'explosion du laboratoire de chimie a eu des conséquences plus graves qu'on ne l'a cru ? répondit celle-ci. Tu sais, au lycée, tout le monde te trouve très forte et très courageuse d'avoir à vivre avec une sœur qui a été touchée au cerveau...

— C'est vrai, c'est dur, mais que veux-tu, je suis quelqu'un d'une grande spiritualité... Je suis bien obligée ! J'ai déjà assez de galères comme ça en ce moment, avec le proviseur qui m'est tombé sur le dos pour cette histoire d'escapade en voiture...

— T'inquiète, tu finiras bien par trouver une solution, répondit Wendy Anderson, en jetant un regard de biais à la poitrine de son amie. Ou plutôt... deux !

– Ouais, il ne faut pas louper le baiser de minuit ! expliquait Sue à Charlotte, devinant qu'elle ne connaissait pas cette légende. C'est la tradition. Si tu le rates, tout ton avenir s'en trouvera modifié.

– C'est vrai ! Comme Marcy Hanover, l'année dernière... La pauvre, ajouta une autre. Elle n'avait pas pu venir au bal, à cause d'une panne de voiture, et maintenant, elle est devenue top model... pour une maison de couture bon marché, la zone !

Les autres filles poussèrent alors une exclamation horrifiée.

– Le baiser de minuit peut décider de ta vie ! reprit Sue, cependant que les filles hochaient la tête, en guise de confirmation.

Charlotte était si livide qu'aucun fard, même le plus cher du monde, n'aurait pu lui rendre ses couleurs. Cette idée de destin et de baiser de légende la torturait. Inutile qu'on lui rappelle l'importance capitale du bal d'Automne. Mais le baiser de minuit ?

Tandis que l'inquiétude taraudait Charlotte, en cette nuit presque parfaite, Scarlet vola très haut dans les airs, au-dessus des toits, jusqu'à l'impressionnante et sinistre demeure qui se dressait, telle une masse de nuages menaçants, dans le quartier peuplé de maisons par ailleurs totalement identiques. Elle voletait de fenêtre en fenêtre, jetant de-ci, de-là des coups d'œil à l'intérieur. Elle aperçut un sac de classe fermé, un agenda et un ordinateur portable jetés sur le couvre-lit en chenille.

– La sienne, à tous les coups, dit Scarlet.

Elle pénétra dans la chambre de Charlotte, traversant la porte-fenêtre de vitrail du dernier pignon. Elle avait observé

le manoir de nombreuses fois déjà, depuis l'extérieur, et tout ce qu'on pouvait en dire, c'est qu'il était vieux. Mais, de là-haut, elle le voyait transformé, avec toutes ces couleurs somptueuses et ces meubles délicats, ces candélabres et ces lustres scintillant de mille feux aux plafonds.

«En fait, je suis morte pour de vrai, et je suis au paradis», se disait-elle, fascinée.

Scarlet alla s'allonger sur le lit à baldaquin, à côté de la montagne de vêtements de Charlotte. Puis, elle attrapa son ordinateur portable. En l'allumant, elle découvrit le fond d'écran, qui représentait une robe haute couture, au sommet de laquelle la jeune fille avait attaché sa photo d'identité. Scarlet toucha la barre d'espace : elle vit apparaître un garçon dans les bras du mannequin, qui l'entraînait dans une valse langoureuse sur l'écran.

– La folle !

Mais Scarlet n'eut guère le temps de réfléchir à cette découverte : un grand bruit, venu des étages inférieurs, la fit sursauter. Elle décida d'aller voir ce dont il retournait plutôt que de rester dans la chambre à attendre le danger.

ॐ

Pendant ce temps, au rez-de-chaussée, Mme Wacksel introduisait les Martin dans le grand salon.

– Alors ? Que dites-vous de cette pièce ? Lumineux, non ? Regardez-moi ces volumes !

Mais les Martin avaient les yeux rivés sur le lustre au plafond. Mme Martin avait été la première à le voir. Elle donna un petit coup de coude à son époux.

– Quelle merveille ! Charmant, non ?

C'est alors que, grâce à Simon et Simone, le lustre se mit à se balancer, tout d'abord lentement, puis de plus en plus

vite. Prue, agrippée à la rampe de l'escalier, tenait les jambes des jumeaux, accrochés au luminaire.

– Oui, ces vieux éclairages tendent à avoir une vie propre, fit remarquer Mme Wacksel, qui ne savait pas combien elle avait raison.

Les Martin étaient pratiquement figés sur place, hypnotisés par le mouvement, tandis que leurs ombres grossissaient sur le mur, plus menaçantes à chaque passage du lustre.

– Il doit y avoir un courant d'air, expliqua Mme Wacksel. Une fois que vous aurez changé les fenêtres, cela ne sera plus un problème.

Prue poussa plus fort sur les jambes de Simone ; le luminaire prit de la vitesse. Lorsqu'elle se pencha de nouveau vers l'arrière, elle vit Scarlet qui sortait de la chambre de Charlotte et sursauta.

– Bon sang, mais qui es-tu ? s'écria-t-elle, lâchant du même coup les deux jumeaux qui, agrippés comme ils l'étaient au lustre, allèrent s'écraser contre le mur d'en face, dans lequel ils firent un gros trou.

– Oh, mon Dieu ! hurla Mme Martin tandis que son mari tentait de la protéger des éclats de cristal.

Si la scène s'était déroulée au ralenti, elle eût été magnifique : les perles de cristal reflétaient les derniers rayons du couchant filtrant à travers la fenêtre, dans une bruine de diamants. M. Martin poussa sa femme, au moment où un dernier tesson, plus gros que les autres, venait se planter dans les lattes du plancher, à l'endroit même où celle-ci se tenait quelques secondes plus tôt.

– Elle aurait pu se faire tuer ! s'exclama M. Martin, tout en examinant son épouse pour voir si elle était blessée.

Mme Wacksel restait sans voix.

– Pas de termites, vous disiez ? reprit-il, sarcastique.

L'agent immobilier fit une dernière tentative.

– Je peux vous assurer que ce… ce nouveau dégât, dirons-nous… sera pris en compte…, fit-elle, aussi désespérée à l'idée de les voir renoncer à cet achat qu'elle craignait pour sa propre vie.

Face à cet espoir de revoir le prix de vente à la baisse, la cupidité de M. Martin reprit le dessus. Il traversa la pièce pour inspecter le trou dans le mur.

Scarlet, pétrifiée, était partie se cacher derrière la plaque de Placoplâtre dans le faux plafond, pour échapper à Mme Wacksel aussi bien qu'aux Martin, à Prue et aux autres élèves du Manoir, dont elle avait fait échouer les plans.

– Qu'est-ce que c'est que ça? demanda M. Martin en s'approchant de Scarlet et de la plaque de plâtre qui s'était décrochée du plafond.

Scarlet sortit de son trou, mais Prue la saisit aux chevilles avant qu'elle ait pu s'enfuir.

– Nous n'achèterons pas cette maison! déclara le visiteur avec fermeté.

Les élèves du manoir se retournèrent dans sa direction, ne pouvant en croire leurs oreilles.

– Ni nous, ni personne!

Tous les morts de la pièce lâchèrent un hurlement de joie et se mirent à exécuter une petite danse dans la pièce, y compris les jumeaux, pourtant toujours empêtrés dans l'entrelacs de perles du lustre.

– Que voulez-vous dire? demanda Mme Wacksel, cette fois tout à fait déprimée.

– Regardez! dit-il d'un ton sévère, en écrasant un morceau du plafond, qui se transforma en une poudre grise dans sa paume. On dirait bien de l'amiante… Il va falloir…

Prue resserrait son étreinte autour des chevilles fantômes de Scarlet, comme cette dernière tendait l'oreille pour entendre la sentence.

–... Condamner la maison, oui, reconnut à son tour l'agent immobilier.

L'annonce de la vente de la maison était déjà une très mauvaise nouvelle, mais la perspective de la voir démolir était plus terrible encore.

– La condamner? gronda Prue en tordant les chevilles de Scarlet.

Une fois le choc passé, Prue comprit que les choses ne pouvaient pas être pires. Elle desserra ses doigts, libérant Scarlet qui s'envola vers sa maison telle une chauve-souris fuyant l'enfer à tire-d'aile.

– Si la maison est condamnée, alors nous le sommes tous, soupira tristement Prue.

14

Plantée là

Déjà eu l'impression de vous être fait avoir?

Johnny Rotten.

La fin ne justifie pas toujours les moyens.

———◆◆◆———

Tout le monde se sert de tout le monde, à un moment ou à un autre de sa vie. En fait, c'est même assez banal. On conclut un marché, avec l'idée d'obtenir quelque chose en échange, une chose qu'on désire ou dont on a besoin : se faire emmener à l'école, un billet pour un match, un rendez-vous galant, une invitation à une fête... Si l'échange est accepté des deux côtés, il est juste. Du moins, en général. Le sentiment de se faire avoir est tout à fait différent. Dans ce cas, on n'est jamais qu'un intermédiaire qui sert l'ambition de quelqu'un d'autre. Un témoin de sa réussite ou de son rêve le plus fou.

amen fit signe à ses copains déjà cachés dans les buissons devant la maison de Pétula, occupés à épier les filles en petite tenue assises en cercle dans la chambre.

– Pardon pour la DPE, dit Max, alors qu'ils se battaient pour la meilleure place devant la fenêtre.

Les autres se tournèrent vers lui, intrigués.

– Démonstration Publique d'Érection! gloussa-t-il devant leurs grimaces.

Pétula aperçut les garçons dans le jardin et se leva pour les saluer, minaudant et se dandinant devant eux.

– Il fait froid dehors, ce soir, non? Pas trop dur?

– Si! fit Max.

– Vous donneriez-vous le plaisir de pénétrer en ces lieux? demanda Pétula en lui ouvrant.

– Je ne me permettrais pas, reprit alors ce dernier, en se hissant le premier dans la chambre.

Tandis que les garçons escaladaient un à un la fenêtre, l'un d'eux renversa par maladresse une bouteille de soda sans sucre. Elle tourna sur elle-même et s'arrêta, pointée en direction de Wendy Anderson.

– Tu dois m'embrasser, dit Max, lascif.

– Oh! là, là! on n'est plus au collège! railla la jeune fille. D'accord!

Elle se pencha pour lui rouler une pelle.

– À ton tour, dit l'un des garçons tout excité à Charlotte.

Charlotte n'avait pas très envie de jouer, mais un regard de biais lancé à Damen lui donna du courage. Elle fit tourner la bouteille, qui s'arrêta en désignant le garçon qui ricanait bêtement.

Horrifiée, Charlotte se concentra très fort pour déplacer la bouteille par télékinésie, de manière à ce qu'elle indique Damen. À sa grande surprise, ses prières furent exaucées.

Damen hésita, un peu inquiet. Il n'avait pas très envie d'embrasser la petite sœur de Pétula devant elle. La situation était pour le moins embarrassante, mais bon, après tout, ce n'était qu'un jeu.

– Allez, mec! C'est la règle! s'écria Max.

Pétula était mortifiée, bien qu'elle s'efforçât de n'en rien montrer.

– Vas-y! lui dit-elle.

Mais Damen devinait qu'elle enrageait. Il était coincé : soit il embrassait Scarlet pour ne pas perdre la face devant les autres, soit il refusait pour éviter les remarques méchantes de Pétula plus tard dans la soirée. Il décida de ne pas se défiler.

Charlotte ferma les yeux et se pencha en avant. Damen l'imita. Tous retenaient leur souffle, les regardant s'approcher l'un de l'autre au milieu du cercle. Comme leurs lèvres s'apprêtaient à se toucher, Scarlet apparut à la fenêtre, dans un état épouvantable, manifestement terrifiée.

– Charlotte! hurla-t-elle en fonçant droit sur son amie. Non!

Elle réintégra son corps, repoussant du même coup Charlotte. La violence du choc la déséquilibra : projetée contre Damen, elle se rattrapa en déposant un baiser maladroit sur l'épaule de celui-ci. Intrigué par le geste étrange de Scarlet, il eut un petit gloussement. Pétula poussa un soupir de soulagement, et la partie reprit.

– Purée, trop bizarre, cette meuf, soupira Max.

Toujours sous le choc, Charlotte leva les yeux, pour apercevoir Prue par la fenêtre, qui voletait dans les airs, lancée à la poursuite de Scarlet.

– Prue ? demanda Charlotte avec inquiétude. Qu'est-ce que tu fais là ?

– Alors comme ça, tu veux te mêler aux vivants ? Je vais te montrer, ce que ça fait, moi ! fit cette dernière, menaçante, comme elle posait son regard sur Wendy Anderson. À mon tour ! Tu veux tourner ? Tourne ! reprit-elle en soulevant la jeune fille de quelques centimètres au-dessus du sol avant de lui imprimer un mouvement de rotation, comme à la bouteille.

Tous poussèrent un hurlement.

– Hé, c'est bon, ça ! dit Max en faisant référence à son verre de punch.

Wendy Anderson, tentant toujours de protéger sa manucure, tendit la main dans un effort pour se retenir à quelque chose. Elle avait les traits crispés, et paraissait très mal en point.

Prue l'arrêta soudain, bras tendu en direction de Charlotte.

– Embrasse-la, tempêta Prue comme Wendy était prise de vomissements, sous l'effet du tournis.

Dans un même mouvement, tous reculèrent, afin d'éviter de se prendre du vomi sur les pieds, à l'exception de Max, qui vida son verre d'un trait.

– Menteuse ! Tu m'avais dit que t'avais rien avalé de la journée ! s'écria Pétula en regardant les éclaboussures dégouliner le long du mur.

– On ne t'a pas appris qu'il fallait rester entre morts ? continua Prue d'un ton menaçant à l'adresse de Charlotte, trop effrayée pour ouvrir la bouche.

Sur ce, Prue s'envola vers le manoir des Aubépines, ne sachant que faire au sujet de Charlotte, de Scarlet et de la maison qui avait grand besoin d'être sauvée, désormais. Au même instant, Scarlet courait se réfugier dans sa chambre.

Wendy Anderson gisait sur la moquette, humiliée.

– Elle ferait n'importe quoi pour qu'on la regarde, souffla Wendy Thomas à Pétula, baissant les yeux vers la jeune fille couverte de vomi. Wendy Anderson parvint à se rasseoir. Elle leva lentement une main vers son visage pour s'essuyer, avant de vérifier que ses ongles n'étaient pas abîmés. La fête était finie. Chacun se leva et partit sans demander son reste.

Charlotte demeura seule dans la pièce.

– J'étais à deux doigts de l'embrasser ! pleurnicha-t-elle en s'apitoyant sur son propre sort, inquiète de ce qu'elle allait devoir affronter quand elle retournerait auprès des autres, au manoir.

❧

Dans sa chambre, Scarlet enfila un peignoir de soie de Chine brodé d'un motif de dragon, regarda autour d'elle pour voir si Charlotte était là et alluma son ordinateur. Elle se rendit sur Internet pour étudier les rubriques nécrologiques locales.

– Elle doit bien se trouver quelque part, dit-elle, déterminée à en apprendre un peu plus long sur cette fille qui se faisait appeler Prue.

Après avoir navigué quelques instants sur son moteur de recherche, cliquant sur des liens sans grand intérêt, elle s'arrêta sur une page qui attira son attention. C'était un site d'archives d'un journal du coin, *La Gazette des Aubépines*, feuille de chou spécialisée dans les affaires criminelles, et qui avait cessé de paraître depuis longtemps. Scarlet n'en avait même jamais lu qu'une page ou deux, extraites de vieux exemplaires conservés par ses grands-parents pour envelopper les cadeaux de Noël. Les archives de la gazette étaient en libre accès sur le Net. Scarlet tapa la seule information dont elle disposait.

«P-R-U-E», écrivit-elle, avant d'appuyer sur la touche ENTRÉE.

Trois articles lui furent proposés. Mais pas de rubrique nécrologique.

– Génial ! soupira-t-elle, déjà agacée.

Elle parcourut rapidement les deux premiers, sans rien trouver de véritablement passionnant. Quelques lignes sur une vieille femme qui faisait «les meilleures conserves de la région», et quelques autres sur une dinde, surnommée Prue, épargnée par le maire à la veille d'une soirée de Thanksgiving.

C'est alors que Charlotte apparut dans l'entrebâillement de la porte. Scarlet éteignit son ordinateur.

– Qui c'était, cette furie ? demanda-t-elle.

– Elle ? L'une de mes chères camarades de classe, à l'école des Morts… Elle est folle de rage contre moi parce que je passe le plus clair de mon temps ici, au lieu de rester au manoir. Je suis désolée, soupira Charlotte, avec une inquiétude réelle.

– Désolée ? Pourquoi ? Réponse A : pour être entrée dans l'équipe des pom-pom girls ? Réponse B : pour avoir essayé d'embrasser le petit copain de ma sœur ? Réponse C : pour avoir pratiquement tenté de m'assassiner, par l'intermédiaire d'une espèce infâme de démon ?

Charlotte se ratatina dans le fauteuil tête de mort rose et noir.

— J'ai entrevu par hasard ton fond d'écran, quand j'étais au manoir, reprit Scarlet, qui se doutait de l'identité du garçon en question.

Charlotte rumina sa honte en silence. Elle savait ce que Scarlet avait vu dans son ordinateur. Des fichiers entiers de photos de Damen, prises ces deux dernières années. Damen souriant, Damen sourcils froncés, Damen de profil. Des portraits de lui de toutes les humeurs et sous toutes les coutures. Mais le plus humiliant était bien sûr cette petite animation qu'elle avait réalisée à partir d'images scannées dans de vieux magazines de mode et de photos. Un couple magnifique : Charlotte, dans une splendide robe Chanel gris perle, et Damen, dans un costume trois-pièces gris de chez Givenchy, avec une petite pochette de soie blanche, en train de danser. Bon, si Scarlet avait vu cette animation, Charlotte était définitivement grillée. Inutile de chercher à noyer le poisson. Mieux valait avouer. Tout.

— OK, OK, c'est bon. Ce n'était pas uniquement pour qu'il réussisse son examen que je voulais donner des cours de physique à Damen.

— J'avais compris…

— C'était pour qu'il puisse se rendre au bal de l'Automne…

— Mais pourquoi tu tiens tant à ce qu'il aille à ce bal… avec ma sœur ?

— Non ! Je voudrais qu'il y aille avec… avec moi. Ce n'est pas qu'une question d'envie. C'est une nécessité !

— Alors celle-là, elle est bien bonne ! Non mais franchement…

— Si, je t'assure. Tu comprends, quand tu meurs comme ça, sans t'y attendre, tu trimballes derrière toi des casseroles. Des

problèmes que t'as pas résolus dans ta vie... Des problèmes que tu dois régler avant de... passer à autre chose.

– Bon, laisse-moi reformuler tout ça. Donc, si j'ai bien tout capté, il faut que tu te rendes à un bal débile en compagnie d'un crétin pour accéder à un degré de spiritualité supérieur ? demanda Scarlet, ne pouvant croire à l'audace de Charlotte.

– Exact. Écoute, tu peux pas savoir, toi. Je suis invisible, maintenant, comme je l'ai toujours été dans ma vie, pour tout le monde.

– Je ne te laisserai pas te servir de mon corps pour aller à un bal avec ce naze, qui se trouve être le petit copain de ma sœur. Ni faire quoi que ce soit d'autre, d'ailleurs, affirma Scarlet en chassant Charlotte de sa chambre, avant de claquer la porte derrière elle.

– Mais... et Damen ? Et son examen ? hurla Charlotte laissée seule dans le couloir.

À ces mots, Scarlet reparut sur le seuil de sa chambre, considéra Charlotte quelques instants, avant de lui claquer une nouvelle fois la porte au nez.

15

Agir ou mourir

Embrasse-moi, et tu verras combien je compte.

Sylvia Plath.

Illusion contre réalité.

Au lycée, les deux se valent à peu près. On se met du maquillage ou des casques pour faire du skate, on souhaite se faire refaire le nez ou posséder une voiture de sport, tout ça pour impressionner la galerie et garder ses distances avec la réalité. On se doute bien que les choses sont plus compliquées qu'elles n'y paraissent, mais, pour connaître véritablement les gens, il faut avoir la volonté de creuser sous la surface. Et, la plupart du temps, personne ne s'y hasarde. Cela risquerait de bouleverser l'ordre social. Seuls quelques-uns, très rares, s'y efforcent.

**harlotte** passa la tête à travers la porte au pied de laquelle elle avait rendu son dernier souffle. Damen en bavait pour terminer son QCM de physique, sous le regard attentif de M. Machin. Dans la salle, tous semblaient extrêmement tendus. Personne n'était cependant aussi à cran que Charlotte.

Damen coinçait déjà sur la première question, pourtant facile ; il hésitait entre deux réponses. Y avait-il un piège, ou bien était-ce vraiment si simple ? Le stress le faisait douter, et tout lui paraissait sujet à caution.

Charlotte se rongeait les sangs en le voyant souffrir ainsi. Finalement, n'y tenant plus, elle décida d'aller l'aider. Elle passa la porte et se dirigea vers son bureau. Les mini-planètes du système solaire accroché au plafond se mirent à tourner sur elles-mêmes quand elle fonça droit sur Vénus, sous laquelle était assis Damen.

Charlotte se plaça derrière lui et tenta de déplacer sa main par télékinésie, pour cocher la bonne réponse. Mais, comme toujours, elle n'arrivait à rien lorsqu'elle se trouvait près de lui. Elle perdait vite tous ses moyens. Se pencher ainsi sur son épaule, le frôler d'aussi près, à caresser presque sa joue en lisant sa feuille, était pour elle très excitant, mais l'expérience ne devait pas porter bonheur à Damen : sans le vouloir, Charlotte fit tomber le stylo de ses mains. Le bruit de sa chute attira l'attention de M. Machin, plongé dans la lecture du dernier numéro du magazine *La Recherche*. Il leva les yeux au moment même où Damen se penchait pour ramasser son stylo sous le bureau de Muriel la Cervelle.

– On garde les yeux sur sa copie, mes chers petits amis, rappela M. Machin à toute la classe, sans nommer Damen en particulier.

Des moyens de tricher, il en avait vu tellement, au cours de sa carrière, qu'il aurait pu écrire une thèse sur le sujet. Depuis le bon vieux coup d'œil sur la feuille du voisin jusqu'aux tactiques sophistiquées permises par le numérique – envoyer à un ami des photos du devoir sur son portable, se faire envoyer les réponses par texto, chercher sur le Net depuis un Palm –, il les connaissait tous, à peu près. Aussi, suspicieux, gardait-il l'œil sur Damen – et dans son cas, cette expression était à prendre au sens propre.

– Excusez-moi, une crampe ! murmura Damen à son attention, désignant sa main droite.

Machin secoua la tête et reprit sa lecture.

Charlotte en profita pour tenter de nouveau sa chance. Enroulant ses bras autour de lui, elle fut si troublée que le faisceau électrique qui traversait la petite boule de verre, à la droite de Damen sur son bureau, s'emporta, générant une véritable tempête. Elle recula d'un pas, de peur de lui causer plus d'ennuis, mais, dans sa précipitation, elle donna un coup au crayon qu'il avait dans les mains. Le bout de gomme qui se trouvait à la pointe se détacha ; Damen le prit dans le

nez. Le garçon commençait à se sentir vraiment nerveux :
Machin n'allait plus le lâcher, maintenant.

Or, Damen jouait là sa permission d'aller au bal de
l'Automne, peut-être aussi sa place dans l'équipe de football.
Il ne fallait pas que ça dégénère… Charlotte se concentra pour
l'aider. Elle tenta de ne pas regarder ses larges épaules, ses
bras musclés, les boucles épaisses sur son beau front lisse ; elle
s'efforça d'oublier ses yeux de braise, ses lèvres charnues et
son nez droit ; sans plus attendre, elle lui prit la main, cochant
les réponses justes comme la cloche allait sonner.

– Posez vos stylos ! dit M. Machin sur le ton d'un policier
ordonnant à un dangereux criminel de déposer les armes.
C'est fini !

Ceux qui n'avaient pas terminé biffèrent à la hâte leurs
dernières réponses, sans même prendre la peine de lire les
questions, avant de rendre leur copie.

M. Machin arracha la feuille des mains de Damen, qui
n'avait pas eu le temps de répondre à la dernière question.
Dans un geste désespéré, Charlotte s'empara de la main de
celui-ci, qui plongea littéralement sur le professeur pour lui
reprendre sa copie. Machin blêmit devant l'agressivité de
son élève. Mais Damen était sans doute, des deux, le plus
blême…

☙

Comptant que cette journée serait un peu plus normale –
du moins, aussi normale que pouvait l'être une journée pour
une fille comme elle –, Scarlet avait la tête plongée dans son
casier, fouillant pour trouver ses affaires, lorsqu'on frappa à
la porte métallique.

– Casse-toi, grogna-t-elle sans même regarder de qui il
s'agissait.

On frappa de nouveau. Agacée, Scarlet se détourna finalement. Elle referma son casier et se retrouva nez à nez avec la copie de Damen, pointée d'un gros 20/20 marqué en rouge.

– Tu y crois, toi? demanda celui-ci en lui tendant la feuille.

– À ce stade, je suis prête à tout croire…

Les gens commençaient à s'intéresser à ce qu'ils fabriquaient tous les deux. Scarlet baissa la tête, intimidée, mais Damen ne semblait pas se soucier des autres. Il était bien trop content.

– Je n'ai même pas l'impression d'avoir travaillé avec toi, l'autre jour!

– Tu m'étonnes, répondit Scarlet.

– J'espère qu'on s'en sortira avec la moyenne, à l'examen de fin d'année, reprit-il comme il s'éloignait, sans la quitter des yeux. On se voit après les cours?

– Pardon? Attends, j'peux pas, j'ai…

Mais il était déjà loin. Il ne lui avait pas laissé le temps de protester. Elle eut en revanche tout le loisir de pester contre Charlotte.

ᘓᘔ

Damen arriva chez Scarlet, enfin, chez Pétula, se gara devant la maison et entra comme à son habitude sans sonner. Il savait que Pétula était à son entraînement et qu'elle ne rentrerait pas avant un petit moment. Il monta à l'étage, remonta le couloir, mais prit la première porte à gauche au lieu de celle de droite comme il le faisait d'ordinaire. Cela lui fit une drôle d'impression.

Il s'arrêta devant la porte entrouverte de la chambre de Scarlet, ignora le panneau «Dégage!» et entra. Les

lumières étaient éteintes, mais une centaine de bougies disposées çà et là illuminaient la pièce. L'effet était magnifique. Damen chercha Scarlet du regard, quand il aperçut son ombre projetée au plafond. En s'approchant, il aperçut l'uniforme à paillettes des pom-pom girls accroché au mur, un couteau à steak planté dans le ventre. Il s'avança jusqu'à elle, assise par terre contre le bord du lit, son iPod sur les oreilles, secouant la tête d'un air vague au rythme de la musique.

– J'imagine que ça signifie que tu ne viendras plus nous encourager ? dit-il en délogeant le couteau du mur.

Mais Scarlet, trop absorbée par sa musique, ne l'avait pas entendu. Il lui donna une petite tape sur l'épaule, tenant toujours le couteau dans son autre main. C'est alors qu'elle tourna la tête vers lui. Effrayée, elle arracha le casque de ses oreilles et bondit sur son lit, comme les notes plaintives du dernier Arcade Fire emplissaient la pièce.

– Pardon ! s'exclama Damen, en prenant conscience que ce couteau pointé vers elle lui donnait l'air d'un assassin.

Posant celui-ci sur la table de chevet, il lut la légende de l'affiche de *Delicatessen* : «Un conte moderne sur l'amour, l'avarice et le cannibalisme.»

– Ah ouais, ce n'est pas l'histoire d'un boucher qui découpe les locataires de son immeuble pour les vendre dans sa boutique ?

Scarlet n'en revenait pas qu'il pût connaître ce film ; mais elle ne voulait pas lui montrer qu'elle était impressionnée. Elle haussa donc les épaules et prit son air le plus indifférent.

– Mouais... Je pensais à en faire un remake au lycée. Une élève qui a la rage, qui se ferait embaucher comme serveuse dans un restaurant chic du coin... Elle truciderait les élèves les plus en vue du lycée pour les servir en pâtés... Et les parents n'y verraient que du feu...

– Je suis venu un peu plus tôt, mais, heu... je me disais que, si tu voulais bien, on pourrait travailler ensemble...

– Ouais, à propos, ça fait un moment que je voulais te parler de cette histoire de cours particulier...

Mais Damen aperçut sa guitare – une Gretsch violet pâle, posée sur un socle. Il se pencha pour l'attraper.

– Je ne savais pas que tu en jouais, dit-il en glissant la lanière de cuir par-dessus sa tête.

– Pourquoi tu le saurais ? demanda-t-elle, une pointe de sarcasme dans la voix.

Damen s'assit sur le lit et pinça quelques cordes.

– Pardon, ça ne te gêne pas ?

– Non, non, répondit-elle, profitant de cette diversion pour dissiper sa gêne, vas-y.

Damen considéra la guitare, ferma les yeux, puis se mit à jouer les premières notes du morceau des Death Cab for Cutie, *I will follow you into the dark*.

– Hé ! Je ne savais pas que..., bafouilla-t-elle, émue par le fait que non seulement il savait jouer, mais qu'en plus il connaissait l'un de ses morceaux préférés.

– Si, tu le savais. Je te l'ai dit, l'autre jour, tu ne te souviens pas ?

– Ah oui, c'est vrai. J'ai dû oublier.

Il faisait sans doute référence au moment où Charlotte était entrée en possession de son corps.

Damen était intrigué. D'habitude, les filles buvaient littéralement ses paroles : elles se souvenaient de tout ce qu'il disait, jusque dans les moindres détails.

– Si on m'avait dit qu'un jour je jouerais ce morceau à une pom-pom girl !

– Une *ancienne* pom-pom girl !

– Tu sais, j'ai des billets pour un concert des Death Cab, samedi...

– Ah oui? dit-elle sur le ton le plus neutre possible, car elle ne voulait pas qu'il sache qu'elle serait prête à étrangler un petit chat ou même un membre de sa famille pour aller voir jouer ce groupe.

– Pétula ne les aime pas trop, et elle a d'autres plans, glissa-t-il, hésitant. Est-ce que... je ne sais pas... Ça te dirait de faire une entorse à ta règle et d'y aller avec moi?

La question demeura un instant sans réponse, suspendue dans les airs, pendant qu'un silence gêné s'installait.

Perdus dans leurs pensées, ni l'un ni l'autre n'entendirent la voiture qui remontait l'allée et la porte d'entrée qui claquait. Pétula entrait en râlant que son entraînement avait été annulé sans qu'on la prévienne, scandalisée qu'on lui ait fait perdre un temps précieux.

– Tu sais... pour te remercier de ton aide, et tout...

– Euh, eh bien... Oui, peut-être, marmonna-t-elle, en s'efforçant de garder son calme, alors qu'elle bouillait intérieurement, ce dont elle était la première surprise.

– Damen? s'écria Pétula. Elle avait vu la voiture de son petit copain garée devant la maison.

Scarlet et Damen rougirent comme s'ils avaient été surpris en train de s'embrasser fougueusement.

– Je ferais mieux d'y aller, dit-il en reposant la guitare, puis en tirant nerveusement sur le col de sa chemise pour le redresser.

– Ouaip! répondit-elle, s'efforçant de jouer l'indifférente.

– Bon, alors on se voit samedi, devant la salle, d'accord? Au fait, tu voulais me dire quelque chose, à propos des cours particuliers?

– Ah oui, non, non, rien.

Damen courut dans la salle de bains, tira la chasse des toilettes pour faire bonne figure avec ce petit alibi sonore, avant de rejoindre Pétula.

– J'arrive! J'étais juste aux chiottes!

16

La princesse et les crâneurs

Vouloir être quelqu'un d'autre,
c'est gaspiller celui qu'on est.

Kurt Cobain.

On veut tous devenir des stars.

L'idée de susciter l'admiration et l'envie doit être encodée quelque part en profondeur dans notre ADN. Tout comme la faculté de révérer et d'envier les autres, qu'on croit être meilleurs, mieux acceptés et plus populaires qu'on ne l'est. Le seul petit problème, c'est que les qualités indispensables pour devenir une célébrité – le manque total de pudeur, l'amour de soi démesuré et un égocentrisme à toute épreuve – sont aussi celles qu'on aime le moins chez nos amis.

C'était peut-être un effet secondaire de la possession? se demandait Scarlet tandis qu'elle longeait les couloirs pour se rendre à son casier. Commençait-elle vraiment à apprécier Damen Dylan en tant que... Oserait-elle le dire? En tant que personne? En tant que garçon? Dans un effort désespéré pour chasser ces pensées, elle fouilla nerveusement dans ses poches à la recherche du réconfort que pourrait lui offrir le bouton volume de son iPod, montant le son à fond à s'en faire péter les tympans, si fort que les gens pouvaient entendre sa musique jusqu'au milieu du couloir.

Comme elle s'approchait de son casier, vêtue du tee-shirt délavé à l'effigie des Suicide qu'elle avait trouvé dans une friperie, planquée derrière son sac Plasmatics, elle chercha Charlotte du regard. Celle-ci se faisait remarquer par son absence, ces derniers temps. Mais elle ne vit que Damen, appuyé contre la rangée de casiers.

– Salut!», dit-il à son arrivée. Il plongea la main dans la poche de son blouson pour en sortir un enregistrement pirate des Green Day. «Tiens, je t'ai gravé ça, hier soir. J'ai pensé que ça pourrait te plaire.

– Merci, marmonna-t-elle, sans chercher à masquer son trouble.

Damen sentit, à la froideur de sa réponse, qu'il avait franchi une limite. Alors, elle fouilla à son tour dans son casier, parmi les CD gravés qu'elle conservait là, et en sortit un qu'elle lui donna.

– Les Dead Kennedys?

– Le meilleur groupe du monde. Jamais dépassé à ce jour.

Pendant qu'ils parlaient musique, des joueurs de l'équipe de football s'arrêtèrent pour les regarder, puis une bande de filles qui observèrent Scarlet.

– Les gens me jettent des regards bizarres, dit-elle à Damen, gênée par la présence des filles.

– C'est nouveau, ça?

Inattendu, ce trait d'esprit, chez lui.

– Ouais, c'est pas parce que je suis paranoïaque…

– … qu'ils ne vont pas essayer de se jeter sur moi! compléta-t-il avec un sourire complice.

On ne pouvait pas dire qu'ils étaient faits l'un pour l'autre, mais on ne pouvait pas nier non plus qu'ils commençaient à se sentir vraiment bien ensemble. Scarlet décida de profiter encore un peu de cette vague, au moins jusqu'à ce qu'elle retombe. Chassant son angoisse, elle accepta de retrouver Damen plus tard cet après-midi-là, pour un nouveau cours particulier. Il n'y avait qu'un léger petit problème : elle était nulle en physique.

☙

Charlotte était assise à son bureau, en classe, feuilletant mécaniquement son manuel de savoir-vivre. Elle se sentait

bizarrement très mal à l'aise depuis l'examen de physique de Damen, et elle espérait se changer les idées en se plongeant dans le travail. Ça fonctionnait, dans le temps, mais malheureusement, en l'occurrence, non.

«Ils passent quand même pas mal de temps ensemble», se dit-elle, comme un pincement au cœur venait soudain la surprendre.

Pam, qui était en train de lire de l'autre côté de la pièce, ne put s'empêcher de lui adresser un regard lourd de signification. «Je te l'avais dit», y lut-elle.

— T'écoutes aux portes, toi? reprit Charlotte avec sarcasme en refermant son livre, les yeux dans le vague.

Plus tard, ce jour-là, Damen et Scarlet se retrouvèrent pour leur «cours particulier» dans la salle de musique du lycée. Mais leurs livres traînaient par terre, fermés, tandis qu'ils jouaient tous les deux de la guitare. Ils étaient tellement concentrés qu'ils ne virent pas tout de suite les filles qu'ils avaient croisées ce matin-là dans le couloir. Elles avaient toutes le même tee-shirt Suicide que Scarlet, qu'elles avaient couru acheter au magasin de rock indé du coin.

— Appelle le service de dératisation! Cet endroit est infesté de vermines! dit-elle en plaquant un dernier accord sur la guitare.

— Tu es une icône, maintenant. Tout le monde te trouve ultracool, répondit Damen avec un petit sourire narquois.

Scarlet fit mine d'être vexée, mais, en réalité, elle se sentit flattée. Elle laissa glisser le compliment, sans faire de commentaire. Poursuivre dans cette voie reviendrait à céder à tout ce qu'elle détestait, y compris, jusque très récemment, ce garçon qu'elle avait sous les yeux.

Damen plongea la main dans son étui de guitare, en sortit un CD qu'il tendit à Scarlet. Elle était plus impressionnée par son choix, cette fois.

— Un pirate de My Chemical Romance ? Tu chauffes ! s'exclama-t-elle, parvenant à grand-peine à contenir sa joie.

Il faisait plus que chauffer : sur ce coup-là, il brûlait carrément ! Alors, pour l'encourager, elle lui offrit en retour une copie de l'album Loveless de My Bloody Valentine, ce qui les fit rire tous les deux.

— J'ai failli l'oublier, dit-il en ramassant son livre de physique par terre, au moment où la cloche sonnait.

— Ouais, heureusement que t'y penses, soupira Scarlet, avec une légère pointe de culpabilité et de soulagement dans la voix.

Elle quitta la salle de musique pour se rendre en cours de gym, se demandant si elle n'était pas en train de se prendre un peu les pieds dans le tapis, avec toute cette histoire. Mais elle choisit de chasser cette idée de son esprit et de profiter de cette petite pause complètement irréaliste.

Elle entra dans les vestiaires et s'approcha de la bande de poseuses qui l'avaient manifestement observée sous toutes les coutures. Elles devaient déjà être allées sur Internet étudier son profil MySpace, car elles étaient toutes habillées comme elle, maintenant : elles portaient son rouge à lèvres, elles avaient une coupe courte au carré, et elles avaient toutes des bracelets de diamants fantaisie au poignet et une panoplie de tee-shirts de groupes underground : The Birthday Party, PiL, Bauhaus, New York Dolls, Sonic Youth, The Damned, Sick of It All, The Creatures, BowWowWow, The Germs et Killing Joke, pour ne citer qu'eux. Comme les filles ôtaient leurs vêtements, le sol du vestiaire se couvrit bientôt de la pile de tee-shirts la plus cool qui puisse être.

D'ordinaire, Scarlet se serait sentie offensée et elle n'aurait pas manqué de s'en prendre à ces filles pour leur manque d'originalité lamentable, mais là, elle se prit à songer à Charlotte. Elle ne pouvait s'empêcher de penser combien Charlotte serait heureuse de voir que les nanas les plus en vue du lycée commençaient à l'imiter. Tout ceci était grâce à elle. Non que ça fasse grand plaisir à Scarlet, mais bon, elle savait combien c'était important pour Charlotte, même si elles ne se parlaient plus vraiment.

La jeune fille ouvrit son sac de sport, et, en fouillant dans ses affaires à la recherche de sa tenue de gym – un tee-shirt déchiré «Goth is dead» à enfiler sur son caraco magenta, un caleçon noir délavé et sa paire de Converse All Stars –, elle remarqua le CD des Cure, *Disintegration*, au fond de son sac.

– Là, tu ne brûles pas, tu crames! s'exclama-t-elle, triomphante, en glissant le disque dans le vieux baladeur qu'elle gardait dans son sac en plus de son iPod et en montant le volume à fond tandis qu'elle se dirigeait vers le gymnase.

Pétula n'appréciait pas vraiment la popularité grandissante de Scarlet au lycée des Aubépines, mais elle s'accrochait à l'espoir que tout cela durerait le temps d'un feu de paille, et que ce n'était qu'une mode passagère. Oui, tout le monde allait très vite revenir à la raison. Elle avait été sacrée reine de la soirée lors des quatre derniers bals de l'Automne, sans exception. Elle n'était pas prête à céder sa couronne à quiconque, et encore moins à cette débile qui lui tenait lieu de sœur. Elle était occupée à retoucher son maquillage dans le miroir de son casier avant de se rendre au cours suivant, lorsqu'elle aperçut dans la glace le reflet d'un gars qui portait une nouvelle veste de style gothique noire avec un logo rouge représentant un faucon. Puis elle vit les deux Wendy qui s'approchaient. Elles avaient subi l'influence de Scarlet, elles aussi.

– Salut! lui lancèrent-elles avec dédain.

Le plus énervant, dans tout ça, n'était pourtant pas cette mode ridicule pour laquelle ses amies ou ses camarades de classe s'étaient soudain enflammés. Non, c'était plutôt ce qu'on lui avait rapporté sur Damen et Scarlet... Ils se voyaient apparemment en douce pour s'éclater à la guitare. Pétula rongeait son frein, attendant le bon moment pour demander à Damen de s'expliquer à ce sujet. Moment qui semblait être arrivé : elle le vit s'arrêter devant son casier.

– Il paraît que tu fricotes avec ma sœur, lui dit Pétula.

– Quoi?

– Tu te rends compte de ce que tu fais?

– Mais encore? répondit Damen, qui n'avait pas très envie de discuter de cela en public.

Pétula aperçut alors le disque de Scarlet dans son casier. Elle se jeta littéralement sur lui.

– Oh, mon Dieu! gémit-elle en voyant se confirmer ses pires craintes. Elle t'a contaminé!

– Écoute, me gonfle pas. Elle m'a donné des cours particuliers de physique, d'accord? fit Damen, qui redoutait que Pétula ne se mette à hurler dans le couloir.

– Tu te fous de moi?

– Mais non, c'était juste pour que je puisse réussir mon examen et t'accompagner au bal...

– Bon, d'accord, mais tu te choisis quelqu'un d'autre pour tes cours, dit soudain Pétula en tapant du pied sur le plancher.

– T'as pas intérêt à être sérieuse, là, pouffa-t-il, sans conviction.

– Et toi, t'as pas intérêt à continuer à la voir. C'est ça», reprit-elle en se désignant elle-même, bombant le torse et

relevant le menton comme si elle était le modèle qui présentait les lots («Ce soir, un ensemble canapé et fauteuils!») dans l'émission *Le Juste Prix*. Puis, éloignant d'elle le disque, le tenant entre son pouce et son index comme un objet repoussant, elle ajouta : «Ou ça!»

Scarlet sortait du gymnase quand elle les vit se disputer. Elle se faufila discrètement dans le couloir de manière à suivre leur conversation sans se faire remarquer. Pétula insistait. Elle lui posait un ultimatum, tout en s'en prenant à sa veste de l'équipe de football. Damen, pour la première fois depuis qu'il sortait avec elle, ne se sentait pas véritablement menacé par le caprice de Pétula, qu'il trouvait même plutôt risible. Scarlet, quant à elle, ne trouvait pas ça drôle du tout.

— Tu vas le regretter! dit Pétula, sur un ton glacial.

— C'est le temps perdu avec toi que je regrette! lança-t-il, grinçant et moqueur.

17

Pendant que t'étais pas là

*Mon seul regret dans la vie
est de ne pas être quelqu'un d'autre.*

Woody Allen.

Regret.
Le mot le plus triste
qui soit.

———◆◆◆———

Chaque acte entraîne des conséquences : mais, sur le moment, ce n'est pas toujours aussi évident. On se sait jamais vraiment comment les événements vont tourner ni comment on va se sentir juste après. D'où le regret. On ne peut peut-être pas changer ce qui s'est passé, mais au moins on peut se sentir mal, après. Peu importe que ça nous hante pour le restant de nos jours, ou, dans le cas de Charlotte, bien au-delà.

e mot courait au manoir qu'on ne pouvait décidément pas compter sur Charlotte. Il était évident que son entêtement et son incapacité totale à laisser derrière elle sa «vie» mettait en péril la mission même des élèves de la classe des Morts. La maison condamnée, ils l'étaient également, selon Prue.

Sur le seuil de la salle de jeux, Charlotte les regardait qui essayaient tant bien que mal de tuer le temps pour se distraire de la tension ambiante.

DJ faisait tourner des disques dans les airs, lançant de vieux vinyles en direction de Simon et Simone. Violette la Muette, assise à son bureau, s'enfonçait les doigts dans la gorge, comme une boulimique voulant se faire vomir, à la recherche de ses cordes vocales. Kim s'arrachait ses croûtes tout en continuant sa conversation téléphonique. D'un air absent, Suzy les Ciseaux écrivait «À laver» dans le dos de Rita la Pourrie tandis que celle-ci attrapait les vers qui s'échappaient de ses narines pour les rouler entre ses doigts, et les envoyer en direction de Mike et Jerry, qui avaient levé leurs pouces et leurs petits doigts pour faire des buts.

– Goal! braillait Mike chaque fois que Rita visait juste.

Pendant ce temps, Coco s'occupait à rassembler des petits morceaux de glace brisée pour reconstituer un miroir, s'écorchant les doigts.

Tous s'immobilisèrent lorsque Charlotte pénétra dans la pièce. Il faisait toujours froid au milieu des morts, mais les regards que lui lancèrent les autres élèves à son passage la glacèrent bien plus encore.

– Salut, Kim. À qui tu parles?

– Je suis occupée, tu vois pas? lui dit celle-ci sur un ton méprisant.

Charlotte se tourna alors vers les fans de musique, Mike, Jerry et DJ.

– Hé, les gars, vous écoutez quoi? Je peux?

Les garçons furent un instant tentés de lui répondre, vu qu'ils entendaient profiter de toutes les opportunités de parler musique. Mike, surtout, dut se mordre la langue. Mais Charlotte les avait tellement déçus qu'ils ne pouvaient lui pardonner si facilement. Mike ôta l'un de ses écouteurs et se contenta de hocher la tête.

– Mortel! dit-il à l'intention de Jerry et de DJ.

– Ça tombe bien, puisqu'on est morts, lança Charlotte, espérant regagner leurs bonnes grâces par cette blague.

Mais Jerry l'ignora.

– Ouaiche, c'est d'la bombe, *man*, fit DJ, prenant son accent hip-hop.

Il fit signe aux autres de s'éloigner de Charlotte, comme si elle avait la peste. Se sentant rejetée, elle se tourna vers Violette la Muette pour lui faire la conversation. Ne pouvant lui répondre, Violette se contenta de la regarder, impassible.

– Qu'est-ce que j'ai fait de mal ? gémit Charlotte. Je n'étais même pas là. Je ne voulais pas que ça se passe comme ça, moi !

Pam ne put s'empêcher d'intervenir, car elle ne supportait plus ses jérémiades ni ses fausses excuses.

– Assume tes responsabilités, Charlotte ! la gronda-t-elle, le sifflement dans sa gorge se faisant plus aigu. Tu étais prévenue ; il ne faut pas se mêler des affaires des vivants, et encore moins amener ta petite protégée dans notre monde. Qu'est-ce qui t'est passé par la tête, enfin ?

– Rien. J'imagine que je n'ai pas réfléchi, répondit humblement Charlotte.

– Depuis qu'on s'est rencontrées, tu n'arrêtes pas de me bassiner avec ton envie d'être importante aux yeux de ceux qui étaient prêts à te cracher au visage, reprit Pam, sévère.

– Si je pouvais revenir en arrière, je le ferais, promis…

– Je n'en suis pas si certaine, dit Pam sceptique. Tu radotes. On dirait un disque rayé.

À ces mots, DJ produisit le son exact d'un vinyle rayé sur une platine.

Tous les élèves s'étaient maintenant rangés derrière Pam pour écouter leur conversation, bras croisés, sourcils froncés.

– Qu'est-ce que tu veux que je te dise, Pam ? demanda Charlotte sur le ton de la bravade, comme ses émotions l'envahissaient, plus fortes que jamais. Que je suis heureuse d'être là, pendant que la vie continue sans moi ?

– C'était ton destin, Charlotte, fit Simon.

– Arrête de lutter contre, ajouta Simone.

– Non, je peux pas le croire ! Impossible.

– Alors ? demanda Pam.

– J'ai tout raté, soupira Charlotte. Je rate toujours tout. Comme tout le monde dans cette pièce.

– Parle pour toi, siffla Coco.

– Nous avons tous raté notre vie ! Et, en ce qui me concerne, j'ai un peu du mal à l'avaler, si je peux me permettre. Elle, elle n'a jamais réussi à faire attention à qui que ce soit, excepté sa petite personne. Lui, il n'a jamais réussi à se faire aux limitations de vitesse. Elle, elle n'a jamais su écouter personne, et lui, c'est manger correctement qu'il n'a jamais su faire...

Charlotte voyait bien qu'elle les avait blessés, mais elle était déterminée à se défendre, quitte à se montrer aussi dure envers les autres qu'elle l'était envers elle-même.

– Il ne s'agit pas de réussir ou de rater. La mort n'est pas un échec, Charlotte, reprit Pam.

– C'est l'échec suprême, si ! Et j'ai eu mon compte, je vous le garantis.

– Alors comme ça, tu serais prête à mettre notre avenir à tous en péril pour satisfaire tes propres petits désirs ? demanda Kim. Tu ne veux pas admettre ton sort ?

– J'admets... que je préférerais être en vie, oui.

– Tu sais pourquoi Prue a autant de pouvoir sur nous ? dit Pam, voulant changer de sujet.

– Parce qu'elle est là depuis plus longtemps que nous ?

– Non. Parce qu'elle sait ce qui est bon pour elle, et qu'elle ne passe pas son temps à se poser des milliards de questions.

La vérité sonna aux oreilles de Charlotte comme une gifle. Prue avait accepté sa mort, elle était en pleine possession de ses moyens ; elle n'était pas rongée ni empêchée par ses conflits intérieurs, comme elle. D'ailleurs, lorsqu'elle l'avait rencontrée, Charlotte s'était même dit que Prue paraissait contente d'être morte, si du moins une telle aberration était possible.

– Prue est peut-être un peu dure, parfois, mais au moins on sait de quel côté elle se trouve, conclut Coco d'un ton sec.

Là-dessus, Pam et les autres quittèrent la pièce, laissant Charlotte seule à ses réflexions.

☙

Devant la salle de concert, le macadam était couvert de flaques d'eau après l'ondée qui s'était abattue un peu plus tôt dans la soirée. La chaussée luisait, tel du cuir verni, et les néons accrochés à la marquise fin de siècle sur le fronton du théâtre, annonçant la venue des Death Cab, se reflétaient avec une netteté parfaite sur le trottoir. Scarlet attendait sous le chapiteau, vêtue d'une courte robe mauve sous un gros sweat à paillettes, avec ses bottes cloutées. Ses paupières étaient maquillées d'un épais trait de crayon aussi noir que ses cheveux, tout autour de l'œil, tel le bandeau d'un raton laveur. Elle avait passé un gloss pâle sur ses lèvres.

La jeune fille se sentait nerveuse, impatiente de voir arriver Damen. Il était en retard. Tapant du pied sur le sol, les paumes trempées de sueur, Scarlet ne savait pas ce qu'elle redoutait le plus. Qu'il vienne ou qu'il ne vienne pas.

— Tu veux assister au concert ? J'ai des billets, lui glissa un vendeur à la sauvette à l'air louche, soudain surgi à ses côtés.

— Non, merci, j'ai ce qu'il me faut.

— Quelle place ? J'ai des places au premier rang, si tu veux.

— Je ne sais pas, c'est la personne que j'attends qui a les billets, répondit Scarlet, en espérant que cela le ferait fuir.

— Ouais, mais qu'est-ce qu'elle fout ? Ça va bientôt commencer...

— Non, il va arriver, rétorqua Scarlet en allant se placer de l'autre côté de l'entrée du théâtre.

— Bon, ben, quand ton chéri sera là, demande-lui. P't'être que vous voudrez prendre des places plus près de la scène, pour un peu plus cher...

– C'est pas mon chéri! hurla-t-elle, car elle ne voulait pas que cet homme, un parfait étranger, pense qu'elle avait un rencard.

Parce que, si un parfait inconnu pensait ça, alors c'était peut-être bien un rendez-vous, en effet, et ce n'était pas un vendeur à la sauvette, non, vraiment pas, qui allait décider pour elle de cette question cruciale.

– T'as compris, tête de nœud? C'EST PAS MON… C'EST TROP CHER! hurla-t-elle pour faire bonne figure, comme l'homme disparaissait dans l'ombre et que Damen faisait son apparition à ses côtés.

– Trop cher? fit-il.

– Euh… rien. C'est l'autre naze, là, qui essayait de me refourguer un billet plus cher.

– Faudrait être con pour acheter un billet plus cher, non?

– Ben oui, n'importe quoi, l'autre…

– Pas net, ce mec, dit Damen en déposant son sac sur la table, à l'entrée du théâtre, devant l'employé qui fouillait les spectateurs. Il avait pas un physique facile, faut dire…

– Ouais, à propos de physique, euh… Je pensais qu'il vaudrait peut-être mieux que… pour toi… Si tu prenais des cours avec quelqu'un qui soit plus à ton niveau?

– À mon niveau? Si je faisais ça, ça servirait à rien, j'aurais jamais mon examen, répondit Damen en riant, comme il soulevait son sac pour le glisser sur son épaule.

– Non, je parlais pas de ton niveau dans cette matière, mais tu sais… quelqu'un de plus…, bafouilla-t-elle en présentant à son tour son sac pour la fouille.

– Ah, je vois… Tu sais, si tu ne veux plus me donner de cours, t'as qu'à le dire, répondit Damen, soudain inquiet à l'idée d'être évincé.

– Non, non, ce n'est pas ça. Je me demandais juste comment les choses se passaient, de ton côté…

– Merci, mais, de mon côté, ça se passe plutôt bien… Je suis content du niveau où on se trouve…

La culpabilité l'écrasait, mais Scarlet n'avait aucune intention de ramper devant Charlotte. Elle reprit son sac.

– T'as vu? s'exclama-t-elle soudain, comme elle entendait que le groupe entamait *I Will Follow You into the Dark*, celui que Damen avait joué à la guitare. Ils jouent notre… Enfin, je veux dire… ta chanson…»

– Ouais, faudrait peut-être qu'on se dépêche d'entrer, répondit-il en plongeant la main dans sa poche à la recherche des billets.

– Combien je te dois? demanda Scarlet.

– Rien, je t'ai dit, c'est mon petit cadeau de remerciement, dit-il en sortant les billets pliés en quatre de sa poche. Tu sais, pour les cours…

Il ouvrit alors la porte de la salle, et, comme il faisait un pas de côté pour la laisser passer, il lui prit la main, posant délicatement l'autre dans son dos. Scarlet fut troublée de cette marque d'attention.

Le concert passa en un éclair. Du moins Scarlet n'eut-elle pas l'impression qu'il avait duré deux heures, comme l'indiquait sa montre. Morceau après morceau, elle eut l'impression de pénétrer un peu mieux l'univers du groupe, grâce à la présence de Damen à ses côtés. Il y avait peut-être des milliers de gens dans la fosse, mais elle avait eu la sensation d'être seule au monde avec lui.

Jamais leurs mains ne se touchèrent, mais, tandis qu'ils dansaient au rythme de la musique, leurs yeux se croisèrent par hasard, ou bien leurs épaules se frôlèrent, leurs coudes, ou encore leurs genoux, et, chaque fois, leurs cœurs se mettaient à battre plus fort.

La foule sortit comme le groupe jouait les dernières notes plaintives de leur morceau *Title and Registration*. Scarlet et

Damen attendirent patiemment que la salle se vide pour s'en aller à leur tour, heureux du succès qui avait rassemblé des milliers de personnes dans la salle, aucunement pressés de quitter les lieux.

Sur le trajet du retour, ils n'échangèrent pratiquement aucune parole. Damen conduisit lentement, puis raccompagna Scarlet jusqu'à sa porte. Là, ils demeurèrent quelques instants, gênés, à se souhaiter une bonne nuit, ne sachant s'ils devaient se faire la bise, se serrer la main ou s'embrasser sur la bouche. Ce moment qui aurait dû leur permettre de se rapprocher ressemblait plutôt à une partie de «pierre, papier, ciseaux».

– Merci, euh…, fit Scarlet la première. La soirée a été très…» Elle se creusa la cervelle, cherchant le terme parfait, pour se rabattre sur l'adjectif le plus nul qui soit : «Sympa, oui. Très sympa.

– Oui, pour moi aussi, répondit Damen, timide. On se voit… bientôt?

Ils ne virent ni l'un ni l'autre Pétula qui les observait depuis la fenêtre de sa chambre, mâchoires crispées. Ils ne pensèrent même pas à lever les yeux vers elle, d'ailleurs, car on était samedi soir, et penser que Pétula Kensington puisse se trouver chez elle un samedi soir relevait tout simplement de l'impossible.

Damen s'éloigna dans l'allée de graviers, comme il l'avait fait déjà des dizaines de fois, mais, ce soir-là, tout était différent. Il grimpa dans sa voiture, mit un CD dans son poste Bang & Olufsen, et se repassa tous les détails de la soirée.

꩜

Le lundi suivant, Scarlet se rendit au casier de Damen, dans l'intention de scotcher sur sa porte un mot de remerciement un peu plus dans les formes. Mais, comme il n'était pas fermé à clef, elle décida de glisser son mot à l'intérieur. En l'ouvrant,

elle fit tomber la copie de son dernier devoir de physique. Elle la ramassa : un énorme «0» souligné de trois traits rouges était griffonné rageusement en haut de la feuille.

Le nul, ce n'était pas Damen. C'était elle. Sans réfléchir plus, elle détala, courant comme une folle à travers les couloirs en direction de l'aile du lycée abandonnée, prête à ravaler sa fierté.

Il n'y avait pas âme qui vive dans cette partie du bâtiment, «en travaux» depuis une éternité. Pourtant, on n'avait jamais vu un seul ouvrier ni aucun échafaudage dans les parages depuis belle lurette. Les lieux semblaient oubliés de l'humanité tout entière. Désertés. Du moins, c'était son impression.

Elle écarta les panneaux qui barraient le passage et s'enfonça dans les couloirs vides qui sentaient le renfermé et le carton humide. Elle ouvrit les portes de plusieurs salles, jetant chaque fois un coup d'œil pour voir s'il y avait «quelqu'un» (Charlotte, bien entendu). Elle commençait à avoir peur qu'il ne lui soit arrivé quelque chose ; ou peut-être qu'elle ne pouvait plus la voir, à cause de leur récente dispute. Charlotte était peut-être partie pour de bon.

Scarlet jeta un regard par les fenêtres du couloir, qui donnaient sur la cour envahie de mauvaises herbes et de lierre grimpant. Au sol, les dalles étaient fissurées, les bancs et les statues recouverts de mousse : cette cour faisait plus songer à un vieux cimetière abandonné qu'à un jardin.

Charlotte – qui se trouvait dans un coin, hors du champ de vision de Scarlet – s'approcha de Pam, occupée à lire un livre sur un banc. Elle tenait dans ses mains un attrapeur de rêves de sa fabrication.

– Tiens ! Pour me faire pardonner.

– Un attrapeur de rêves ? Tu n'as vraiment rien compris, ma pauvre.

– C'est pour que tu l'accroches au mur de ta chambre, juste au-dessus de ton lit. Ça empêchera que tu fasses des cauchemars !

– Très drôle, vu que je n'aurai bientôt plus de chambre, grâce à toi ! rétorqua Pam en lui tournant le dos.

– Écoute, je suis désolée, marmonna Charlotte, parvenant à rassembler tout son courage pour formuler ses excuses, même si elle savait que cela ne suffirait pas à leur faire oublier la façon dont elle les avait tous laissés tomber le jour de la visite.

– Ça n'arrivera plus, je te le promets. À toi, et à tous les autres.

Pam sourit : au fond d'elle-même, elle était plutôt attendrie par Charlotte et toutes ses singeries. Mais elle décida de la faire mariner un peu ; oui, qu'elle s'empêtre un peu dans ses excuses, avant d'accepter de passer l'éponge.

– J'en ai marre de toutes mes histoires, Pam. J'ai envie de revenir près de vous.

Pam se retourna alors pour sourire à son amie, mais elle aperçut également quelqu'un qu'elle ne s'attendait pas à voir. Scarlet. Pam eut la désagréable impression que Charlotte s'était moquée d'elle.

– Qu'est-ce que tu cherches, exactement ? lâcha-t-elle, irritée.

Son visage se ferma, dans une expression de colère froide qui ne lui était pas familière. Perplexe, Charlotte voulut lui répondre, mais ses mots s'étouffèrent dans sa gorge : elle fut prise d'une violente quinte de toux.

– Je te préviens, tu ne m'entraîneras pas avec toi dans tes combines minables, reprit Pam sur le ton blessé de celui qui se sent trahi.

Voir Charlotte tousser à en cracher ses poumons l'émut ; elle fut tentée, l'espace d'un instant, de lui taper dans le dos

pour l'aider à respirer, comme elle l'avait fait auparavant, mais elle se ressaisit, préférant s'éloigner.

Une fois Charlotte seule, Scarlet sortit du coin où elle se cachait pour venir lui donner une petite tape sur l'épaule. Charlotte sursauta et se retourna.

– Tu m'as fait peur !

– C'est marrant, ça devrait plutôt être le contraire, non ? répondit Scarlet pour détendre un peu l'atmosphère.

– Qu'est-ce que tu fais là, de toute façon ? Il ne faut pas qu'on te voie dans les parages, dit Charlotte en conduisant Scarlet dans l'ombre d'un buisson.

Scarlet fouilla dans son sac à la recherche de la copie de Damen.

– Il a eu zéro ?

– Ce n'est plus drôle. Il m'a fait confiance, enfin, je veux dire, il *nous* a fait confiance, et maintenant sa petite amie le laisse tomber, il a raté son examen de physique, et il va probablement être viré de l'équipe de foot – à cause de nous.

– Alors ça veut dire que tu acceptes de recommencer ? demanda Charlotte, incapable de se contrôler, oubliant la promesse qu'elle venait de faire à Pam quelques instants plus tôt.

– On dirait plutôt que c'est toi qui veux bien recommencer !

Pam était restée à quelques pas de là à les observer. Elle comprit que, une fois de plus, Charlotte avait choisi son camp. Celui des vivants.

18

Chiche !

Quand je songe à la vie, je ne vois que tromperie.
Pourtant, leurrés par l'espoir, les gens goûtent cette
illusion.

John Dryden.

La vie est une série de choix.

———◆———

Par leurs questions, les médiums et les magiciens s'arrangent pour dire ce que nous avons le plus envie d'entendre, au fond de nous-mêmes. En d'autres termes, ils nous manipulent. Charlotte et Scarlet voulaient que Damen fasse son propre choix. Mais lui ignorait totalement qu'il avait à décider quoi que ce soit.

'orage grondait en cet après-midi sinistre. La salle de concert était prête pour le récital de l'automne. On avait installé des contremarches partout dans le sens de la longueur et dans la largeur de la pièce, aussi était-il difficile de se déplacer dans la pièce. Les éclairs qui déchiraient le ciel par intervalles faisaient vibrer les cymbales, et les instruments à vent, suspendus à leur piquet telles des marionnettes sans vie, gémissaient à chaque grondement du tonnerre dans le lointain.

Charlotte, de nouveau en possession du corps de Scarlet, pénétra dans la pièce, cherchant Damen du regard dans la pénombre. Comme elle avait le visage tourné vers le rang de chaises, en contrebas, elle ne vit pas arriver l'avion en papier sur sa tempe.

– Là-haut ! chuchota Damen.

Elle tourna la tête et l'aperçut au sommet des gradins de l'orchestre, qui lui faisait signe de le rejoindre.

– Tu vas bien ?

– Oui, oui, je pensais juste à autre chose, répondit-elle en ouvrant son livre de physique sur ses genoux.

– Oui, moi aussi, dit-il en refermant le manuel. Attends que je la sorte, on va s'éclater tous les deux...

Charlotte sentit un frisson glacé lui parcourir l'échine. Elle rouvrit son livre d'un geste brusque, essayant de garder son calme, mais, entendant le glissement d'une fermeture Éclair, elle perdit tous ses moyens.

– Attends! Qu'est-ce que tu fabriques? dit-elle, plongeant le nez dans les pages d'exercices et s'efforçant d'oublier ce qu'elle avait vu dans les vestiaires.

– Quoi? Je la sors!

– Non, non, non! supplia-t-elle en fermant les yeux.

Mais elle ne put s'empêcher de les rouvrir : quel soulagement, de voir qu'il ne s'agissait que de sa guitare!

– Tiens! Joue-moi ton morceau. Tu sais, celui d'hier!

– Oh, non, non, je ne peux pas. Je veux dire, je ne devrais pas...

Mais Damen lui mit la guitare entre les mains. Charlotte l'attrapa maladroitement, l'air aussi emprunté que quelqu'un qui prend un nouveau-né dans ses bras pour la première fois. Elle fit son possible pour paraître décontractée, comme si tout était normal, mais il était évident qu'elle ne savait pas tenir une guitare, et encore moins en jouer.

– Hé! Pourquoi pas du violoncelle, plutôt? Ça, je sais!

Damen rit, croyant à une nouvelle blague.

– Du violoncelle?

Il se pencha vers elle, la pressant de jouer. Ne sachant pas comment se tirer de cette situation délicate, Charlotte attrapa l'archet d'un violon qui traînait non loin de là, et se mit à frotter les cordes de son instrument, telle une virtuose de guitare rock classique.

Elle souriait nerveusement. Après quelques hésitations, elle entonna un air magnifique, léger et délicat. Stupéfait, Damen était sous le charme.

– Bon, ce n'est pas du tout ce que tu m'as joué hier, mais...

– T'aimes ?

– Ouais. C'est... différent.

– Bon, j'adore jouer de la guitare, mais p't'être qu'on devrait travailler un peu, non ?

– Travailler ? Qu'est-ce qui t'prend, tout d'un coup ?

Charlotte ne pouvait pas donner le change très longtemps. Il fallait qu'elle oriente la conversation autrement. Et son truc à elle, c'était la physique. Elle voulait que Damen l'apprécie autant qu'il appréciait Scarlet et sa musique.

– Regarde, dit-elle en ouvrant son livre pour lui montrer un schéma.

– Hmm ?

– C'est une onde sonore, annonça-t-elle fièrement, en pinçant une corde de guitare.

– Je n'y comprends rien, moi, à tout ça...

– Le son est une perturbation de l'énergie mécanique qui se répand à travers la matière par une onde, dit Charlotte. On ne la voit pas, mais elle est là.

Damen avait l'air totalement perdu.

– Comment je pourrais t'expliquer ? » Elle empoigna alors le manche de la guitare. « La corde d'une guitare ne fait pas de bruit, dit-elle en désignant la corde *mi*. Jusqu'à ce qu'elle entre en contact avec ton corps... » Elle prit la main de Damen dans la sienne, pour lui faire pincer la corde en question. « Lorsque le contact s'établit, la vibration de la corde génère une onde que tu entends quand elle vient frapper le tympan de tes oreilles.»

Damen n'en revenait pas : il était en train de réviser ses cours de physique sans se prendre la tête !

— Dingue, soupira-t-il, se sentant un peu idiot.

— Oui, s'enthousiasma Charlotte. Tu joueras mieux si tu sais comment fonctionne le son. Considère l'acoustique comme des exercices de répète !

Damen se mit à feuilleter de lui-même les pages de son livre de physique. Charlotte était heureuse : elle avait manifestement marqué un point.

— Tiens, j'allais oublier… J'ai quelque chose pour toi, dit-elle en se précipitant au bas des gradins pour aller chercher son sac.

Comme elle remontait vers lui, une petite boîte en plastique dans les mains, l'ombre de Scarlet se faufila sous la porte de la salle.

— C'est quoi ? demanda Damen en découvrant un cookie noir et blanc. T'as fait ça pour moi ? C'est drôle, je ne te voyais pas en mamie gâteaux !

— Oh, ce n'est rien… Goûte ! Tu me diras.

Damen mordit dans le cookie, là où les glaçages noir et blanc se touchaient.

— Hmmm… Mortel ! plaisanta-t-il en dévorant le gâteau.

Cherchant désespérément à se mêler à leur conversation, chaleureuse bien qu'étrange, Scarlet alla ouvrir la fenêtre. Un courant d'air froid vint les surprendre. Damen ôta aussitôt sa veste pour la mettre autour des épaules de Charlotte qui frissonnait.

— J'aime bien ce côté fragile, chez toi, lui dit-il.

Soudain, une émotion qui lui était jusqu'alors totalement inconnue envahit Scarlet. Elle était jalouse.

Le lendemain, avant le début des cours, Charlotte glissa un petit gâteau avec un glaçage en forme de sourire dans le casier de Damen. Lorsqu'il l'ouvrit, quelques heures plus tard, il sourit. Sauf qu'entre-temps, le gâteau avait été «scarlétisé» : on lui avait ajouté un piercing, des cornes, et le sourire avait été transformé en grimace.

Damen se retourna et vit Charlotte qui sortait d'une salle, tout émoustillée du rituel de possession qu'elle venait d'accomplir.

— Salut, mamie crado ! l'appela Damen en riant.

Charlotte s'étonna.

— T'arrives toujours à me surprendre. Je ne sais jamais à quoi m'attendre avec toi, dit-il en plongeant son doigt dans le glaçage pour le lécher.

Charlotte jeta un œil au gâteau, découvrant le pot aux roses.

— Moi non plus, dit-elle.

— C'est presque comme s'il y avait deux personnes en toi.

— Laquelle tu préfères ? répondit Charlotte, voyant là une bonne occasion de régler une fois pour toutes son compte à Scarlet.

— Heureusement, je n'ai pas à choisir ! dit-il en mordant dans le gâteau.

19

Vilain petit secret

Ne cherche pas à avouer ton amour
Car l'amour ne peut jamais se dire
Comme le vent léger qui souffle
En silence, invisible.

William Blake.

On ne peut pas avoir le beurre et l'argent du beurre.

L'amour est un sentiment trop puissant pour souffrir de rester caché très longtemps. Qu'on cherche à le nier, on souffrira. Qu'on l'exprime, on souffrira. Révéler son amour peut s'avérer honteux ou libérateur. Aux autres de décider de quoi il retournera.

**C**harlotte et Scarlet se trouvaient toutes les deux dans la chambre de cette dernière, mais chacune isolée dans son monde. Allongée sur son lit, entourée d'épais coussins de panne de velours, Scarlet dessinait des poupées de porcelaine aux grands yeux et aux membres démesurés, tandis que Charlotte, tel un fauve en cage, tournait en rond dans la pièce.

La tension était palpable. Charlotte brûlait d'envie de demander à Scarlet pourquoi elle avait saccagé le gâteau qu'elle avait offert à Damen, mais elle ne voulait pas non plus tout compromettre : Scarlet pouvait une nouvelle fois refuser de la laisser prendre possession de son corps.

Mais le désir d'obtenir une réponse fut le plus fort. Charlotte attrapa la guitare et se mit à gratter les clefs de bronze sur le manche.

– Tu ne serais pas avec lui si je n'avais pas été là, finit-elle par lâcher, agressive.

Scarlet ne leva pas les yeux de son dessin.

– C'est vrai, tu en as conscience, non ? demanda Charlotte en se laissant tomber sur le lit pour regarder Scarlet dans les yeux.

– Toute cette histoire, c'était ton idée, je te le rappelle, et maintenant tu m'en veux ? fit Scarlet, détournant le regard. Tu ferais mieux de te calmer, ma vieille, tu débloques.

Charlotte se leva, et marcha jusqu'au poster des Death Cab for Cutie accrochée au mur. Dans l'intention d'énerver Scarlet, elle fit glisser ses doigts le long de l'affiche, sur la tranche, comme pour se couper. N'importe qui aurait trouvé cela insupportable et l'aurait priée d'arrêter. Mais Scarlet ne voulait surtout pas lui donner ce plaisir.

– Je veux juste te faire remarquer qu'il ne s'intéresse à toi que lorsque je suis en toi, c'est tout, reprit Charlotte.

Elles tournèrent en même temps la tête vers l'écran plasma de la télévision qui était allumée : une publicité annonçait un jeu de rencontres entre célibataires. « Trouvez celle pour qui il va craquer... ensuite ! », disait le présentateur, sinistre.

Scarlet et Charlotte échangèrent un regard.

– Tiens... Et pourquoi on ne le laisserait pas choisir, finalement ? lâcha Scarlet avec dédain.

Le lendemain matin, Scarlet et Charlotte décidèrent de mettre leur plan à exécution dans la piscine du lycée, bien avant le début des cours.

Les seules lumières étaient celles qu'on voyait sous l'eau, créant une atmosphère à vous donner la chair de poule, comme l'éclat faible des néons se réfractait alentour sur le béton. L'odeur du chlore était entêtante. Scarlet avait les yeux un peu rougis.

– Bon, alors. Comme dans le jeu à la télé, on va passer du temps avec lui, tour à tour. Je commence, et puis on échange. On verra à laquelle de nous deux il s'intéresse vraiment, dit Scarlet.

– C'est pas juste. Il fait si sombre, ici... C'est effrayant... On dirait... toi ! répondit Charlotte comme elle embrassait la salle du regard. Jamais j'aurais pensé que tu aimais nager !

– On n'est pas là pour barboter », dit Scarlet en haussant le volume de la chaîne stéréo de la piscine. La musique rebondit alors sur les murs de ciment et le carrelage du sol. Elles se seraient crues en boîte de nuit. « Mais pour l'acoustique.

– Comment ça va se passer, pour moi ? demanda Charlotte.

– Désolée, je ne t'entends pas ! hurla Scarlet en montant de nouveau le volume de la stéréo.

Les deux filles se retournèrent lorsqu'elles virent la porte s'ouvrir. Damen pénétrait dans la pièce plongée dans la pénombre. Entendant la musique, il se dirigea vers le poste.

Charlotte disparut comme une flèche, pour réapparaître au sommet du plongeoir. De là, elle pourrait suivre la scène qui se déroulait en bas.

– Pourquoi ce rencard ici ? D'habitude, on fait au moins semblant de travailler ! dit Damen en s'approchant.

Il s'assit sur le banc, à côté de Scarlet. Les lumières du bassin renvoyaient un éclat lugubre, telle la lave sur les flancs d'un volcan. L'ombre des rides à la surface de l'eau se projetait sur le visage de Scarlet. Damen la regardait, fasciné et troublé.

– Ça fait, euh... un moment que je voulais te dire quelque chose..., commença-t-il.

Charlotte n'en pouvait plus. Redoutant la suite, elle sauta de son perchoir.

Scarlet, propulsée hors de son propre corps, se retrouva au bord de la piscine, d'abord perplexe, puis tout bonnement en colère.

– J'espère que c'est pas que t'as peur de l'eau, dit Charlotte, terminant sa phrase pour lui.

Puis, sans attendre sa réponse, elle ôta son sweat. En caraco et petite culotte assortie, elle lui lança une œillade avant de plonger dans le bassin.

Damen n'en revenait pas d'une telle chance ; enlevant sa chemise, il lança ses tongs sous le banc et plongea derrière elle.

Scarlet était blême de rage. Décidément, elle n'avait vraiment pas froid aux yeux, celle-là !

– Je me disais qu'un petit plongeon avant les cours nous éclaircirait les idées, dit Charlotte.

– Oui, j'ai déjà les idées beaucoup plus claires, répondit Damen, parcouru d'un léger frisson, les yeux rivés sur le maillot improvisé de Charlotte, plus transparent et plus collant à mesure qu'il prenait l'eau. « On fait la course ? demanda-t-il, dans l'espoir de canaliser le flot d'hormones qui bouillait en lui.

Tous deux partirent comme des flèches vers le mur d'en face. Damen aurait pu gagner très facilement, mais l'enjeu n'était pas là. Charlotte nageait vraiment bien, elle se concentrait pour arriver avant lui. Aussi, sans forcer son talent, il nagea à ses côtés, admirant son esprit de compétition et sa détermination. Ils touchèrent le mur au même moment.

– Super ! dit-il en s'essuyant les yeux, un instant aveuglé.

C'est alors que Scarlet reprit le contrôle de son corps, dans une lutte sans merci entre la vie et la mort. Cela en devenait presque ridicule.

– Bon, fini de barboter, déclara-t-elle, comme une mère impatiente à son enfant au bord de la piscine.

– Pourquoi? On vient juste d'entrer dans l'eau! Je comprends rien, là, dit-il en partant pour une nouvelle longueur.

Scarlet se donna de l'élan en poussant de ses pieds sur le mur pour le rattraper. En parvenant à son niveau, elle vint se coller contre lui.

– Tu veux peut-être que je t'explique, c'est ça?» L'eau ruisselait dans son cou. «Ferme les yeux, dis-moi quel baiser tu préfères…»

Damen s'exécuta. Scarlet le coinça gentiment contre un mur puis déposa un baiser sur ses lèvres.

– Bon. Est-ce que t'aimes mieux celui-ci…? demanda-t-elle en faisant signe à Charlotte d'entrer en elle.

– Ou bien celui-là? dit Charlotte, terminant sa phrase.

Mais Charlotte hésita, arrêtée par la beauté de son visage. Elle couvrit alors son cou de petits baisers qui lui donnèrent des frissons. Comme elle s'apprêtait à poser ses lèvres sur les siennes, elle ouvrit les yeux et faillit se mordre la langue de surprise en apercevant Prue penchée au-dessus du bassin.

– Rien ne t'arrête, toi, alors! Eh ben, tiens, prends ça! hurla cette dernière en faisant signe aux autres élèves qui avaient plongé dans l'eau.

Ceux-ci se mirent alors à tourner autour de Charlotte, créant un gigantesque courant qui l'arracha des bras de Damen au moment où elle allait l'embrasser. Mais celle-ci commençait à s'habituer à ce type de «déjà-vu».

Scarlet préférait encore être humiliée devant l'école tout entière que d'essuyer la colère de Prue. Commençant à paniquer, elle réintégra son corps.

Le courant gagnait en puissance; une vague s'éleva au-dessus de la rigole d'évacuation et du bassin, pour aller s'écraser contre la paroi qui séparait la piscine du gymnase.

La vague menaçait de s'abattre sur les vivants quand ceux-ci l'aperçurent et se précipitèrent vers les vestiaires.

– Un tsunami ! hurlèrent-ils tous en chœur.

C'était trop tard : déjà l'eau emportait sacs, cartables, survêtements et joggings ; les planches du revêtement de la salle se soulevaient, les prises électriques crépitaient en faisant jaillir des étincelles, les lumières s'éteignaient. Dans tout l'édifice, le courant fut coupé.

Le comble fut atteint lorsque le mur de séparation entre la piscine et le gymnase céda, révélant Scarlet et Damen, agrippés l'un à l'autre dans un mouvement désespéré pour se protéger, tels deux naufragés du *Titanic* rejetés sur la plage par une mer déchaînée.

Tous les élèves du gymnase éprouvèrent un choc : les découvrir ainsi, dans cette position compromettante, était plus terrible encore que le paysage de désolation laissé par la déferlante. Comme l'eau commençait à s'écouler sous les portes, Prue et les élèves de la classe des Morts s'envolèrent vers le manoir des Aubépines. Leur mission était accomplie.

ଚ⃝ଓ

La nouvelle n'allait pas tarder à arriver aux oreilles du proviseur, mais, pour l'heure, celui-ci devait résoudre un problème tout aussi épineux : affronter Pétula au sujet de l'incident pendant son cours de conduite.

– Non, sérieusement, monsieur Styx... Je ne sais pas de quoi vous parlez... Je n'ai jamais provoqué d'accident. Qu'est-ce qui vous fait penser que c'était moi, dans cette voiture ? demanda-t-elle, flirtant outrageusement avec lui.

– Reconnaissez-vous ceci ? lui demanda Styx en lui présentant un tube de rouge à lèvres.

– Où l'avez-vous trouvé ?

– Dans la voiture.

Pétula lui arracha le tube des mains. Son expression changea aussitôt, de la crânerie stupide à la pure méchanceté.

– J'ai bien peur, mademoiselle, que nous ne puissions laisser cet incident impuni. Le véhicule a été endommagé, il y a eu des dégâts considérables en ville, sans compter le prix du tuba qui a été brisé. Vous auriez pu blesser des gens, ou même pire.

– Oui, mais il ne s'est rien passé de tel, répondit Pétula avec dédain. Osez me dire le contraire !

– Je suis au regret de vous annoncer que je vais devoir vous interdire l'accès au bal d'Automne.

– Quoi ? Mais c'est MOI, l'âme de ce bal ! s'écria-t-elle, cherchant désespérément à se défendre, tandis qu'elle relisait le rapport de discipline. Attendez ! Vous écrivez qu'il s'agit d'une certaine Mlle Kensington ! J'ai une petite sœur, voilà ! Tout colle ! C'est son rouge à lèvres ! Regardez, il est rouge sang ! Est-ce que j'ai une tête à choisir cette couleur ?

– Ma décision est sans appel, trancha-t-il, ignorant la préférence avérée de Pétula pour le gloss rose pâle et brillant.

Pétula s'apprêtait à cracher de nouveau son venin quand la secrétaire du proviseur surgit dans le bureau.

– Il y a eu une inondation dans le gymnase ! hurla-t-elle, ravie de ce drame qui venait mettre un peu de piment dans sa vie monotone.

Le proviseur, les yeux toujours rivés sur le tube de rouge à lèvres, se précipita vers le gymnase, Pétula à ses trousses.

Comme ils arrivaient sur les lieux de la catastrophe, Pétula aperçut Damen et Scarlet, toujours agrippés l'un à l'autre, à demi nus, sur le bord de la piscine.

– C'est ELLE ! s'époumona Pétula. Elle a tout manigancé dans le seul but de me piquer mon petit copain !

Mais le proviseur était bien trop occupé à constater les dégâts pour prêter la moindre attention à ses accusations.

Pétula s'approcha d'eux comme s'ils étaient radioactifs. Elle se laissa aller à déverser tout son fiel, se moquant ouvertement de la position compromettante dans laquelle on les avait trouvés.

– Hé! Plutôt raté, le rendez-vous discret dans la piscine, hein? Maintenant tout le lycée va savoir quelle sale petite garce tu es!

– Laisse tomber! fit Damen tandis que le gardien leur tendait des serviettes pour se sécher.

– T'aimerais bien, hein? gronda Pétula, prête à étriper sa sœur.

– T'inquiète, rétorqua celle-ci. Normal, de piquer des crises pareilles, quand on passe son temps à se priver de nourriture.

– Mais regarde-toi! Jamais personne ne te prendra au sérieux! T'es ridicule!

– Pétula, arrête! s'écria Damen.

Scarlet semblait vexée et embarrassée, malgré tous ses efforts pour ne pas le montrer. Charlotte l'observait, attristée.

– Tu crois vraiment qu'il osera s'afficher avec toi en public? continua sa sœur. Dans tes rêves! Qu'est-ce qu'il t'a dit, hein? Que ça devait rester entre lui et toi?

Scarlet demeurait muette, tandis que Damen se taisait, un rien coupable.

– Tu te trompes sur toute la ligne, fit-il finalement.

– Il a honte de toi! reprit Pétula, agressive. Tu n'es qu'une sale petite morue!

– Oui, eh bien, c'est avec cette sale petite morue que je vais aller au bal! annonça Damen.

Pétula et Scarlet restèrent sans voix. Damen lui-même s'étonna de ce qu'il venait de dire.

Scarlet, abasourdie, s'éloigna vers les vestiaires sans un mot. Comme elle se séchait, Charlotte lui apparut.

– C'est dingue ! On va aller au bal !

– C'est toi que je trouve dingue, siffla Scarlet après un certain temps, écœurée. Si tu ne peux pas l'avoir, personne n'en a le droit, c'est ça ?

– Je n'ai rien fait ! Tu le sais très bien, en plus !

Mais Scarlet n'allait pas la laisser s'en tirer une nouvelle fois avec des excuses.

– Tu as failli me tuer ! Chaque fois que tu entres en possession de mon corps, il m'arrive un truc horrible ! Je ne te laisserai plus recommencer.

– Scarlet, je t'en supplie, non… Pas ça !

20

Vouloir l'impossible

Dans toutes les relations,
il y a toujours des manques douloureux ;
c'est là que s'engouffrent les désirs impossibles.

Robert Smith.

La vie est
une succession
de hasards.
Comme l'amour.

Si l'on y réfléchit quelques minutes, une idée – très profonde – ne manquera pas de surgir : à quoi bon ? L'amour est le seul intérêt de la vie et la vie ne sert qu'à aimer. Et Charlotte n'avait rien de tout cela... Du moins, pour l'heure. Elle l'aimait encore. Et il n'y avait pas de raison que ça change. C'était lui, sa raison de vivre.

**a pluie ruisselait sans pitié à travers** Charlotte tandis qu'elle marchait, traînant les pieds dans la rue sombre en se lamentant sur son sort. Comme elle aurait voulu sentir la brise sur sa peau, de nouveau! Mais cela n'était pas possible. Désormais, elle était à peu près aussi creuse que la guitare Ovation de Damen. Et elle n'y pouvait RIEN. Ni maintenant ni jamais. Rien ne pouvait plus la toucher, songeait-elle, errant sans but sur la chaussée, marchant dans les flaques d'eau. Personne pour l'attendre nulle part; elle n'avait pas d'horaires, et pas même le besoin d'aller se coucher.

Elle déambula dans les rues désertes jusqu'à la tombée du jour, à l'heure où la silhouette du manoir des Aubépines se découpait sur l'horizon crépusculaire. Murée dans sa tristesse, elle remarqua néanmoins le vent froid qui soufflait, chassant l'humidité mais non les idées noires qui assombrissaient sa conscience. Elle avait causé de l'embarras à ses amis, et aussi du chagrin; elle s'était sans doute condamnée à l'errance pour l'éternité, tout comme ses camarades de la classe des Morts.

Charlotte n'était pas seulement triste; elle était jalouse, aussi. Elle se sentait exclue. Son plan pour gagner l'amour de Damen et le respect de Pétula avait totalement échoué. En grande partie par sa faute. En partie, parce que, quand même, Scarlet était bien un peu responsable aussi, non? Prue, également. Charlotte n'avait pas souhaité que cela se passe de cette façon. C'était uniquement... Comment disait-on, dans l'armée, déjà? Ah oui : des dommages collatéraux.

– Tu parles de problèmes non résolus! maugréait-elle en marchant.

Le soir tomba, puis la nuit. Elle déambulait toujours sans but dans le froid, sous les fenêtres des immeubles. N'importe quel promeneur, seul au beau milieu de la nuit dans le dédale des ruelles sombres, ne cesserait de regarder par-dessus son épaule. Mais Charlotte n'avait qu'une crainte : que ses rêves ne deviennent jamais réalité.

– C'est le sort des fantômes, n'est-ce pas? demanda-t-elle à voix haute, résignée à hanter la ville pour les prochains siècles. Je vais traîner mes regrets éternels...

En passant sous une arche de pierre, à travers un bosquet d'arbres étranglés par le lierre, elle ne put s'empêcher de penser à Damen et à Scarlet : la lune brillait également au-dessus de leurs têtes. Que faisaient-ils, à cette heure-ci de la nuit?

La curiosité la rongeait. Sans même s'en rendre compte, elle se retrouva devant la maison de Damen. Souvent, cet été-là, elle s'y était rendue à vélo. Ce soir, elle avait besoin de le voir dormir seul, besoin de voir qu'il ne se passait rien entre Scarlet et lui. Cette unique certitude pourrait lui accorder un moment de paix.

Charlotte se hissa jusqu'à sa fenêtre. Elle le vit, baigné dans le clair de lune, assoupi dans son grand lit double. Peut-être,

comme elle, avait-il besoin de solitude pour évacuer le stress de la journée, pour se décharger des tensions accumulées et se retrouver un peu lui-même. L'une de ses jambes dépassait de sous sa couverture. Une jambe nue... Elle aperçut également un bout de son caleçon blanc sous le grand drap de l'armée. Il avait dû recevoir ce cadeau cet été, quand il s'était engagé comme volontaire à la Croix-Rouge. (Elle l'avait appris dans le journal. Elle avait même découpé l'article pour l'accrocher sur son miroir.) Cool, comme cadeau.

La fenêtre était légèrement entrouverte. Considérant que c'était une invitation à entrer, Charlotte se faufila dans la pièce.

C'était la première fois qu'elle pénétrait dans la chambre d'un garçon. Et, qui plus est, d'un garçon comme Damen. Tout était exactement comme elle l'avait imaginé. Il dormait sous une étagère croulant sous les CD, les coupes gagnées lors de compétitions sportives et sa chaîne stéréo, dont le volume était si fort qu'elle se demandait comment il pouvait même dormir.

Sans réfléchir à deux fois, elle se glissa sous la couverture de la Croix-Rouge à ses côtés, pour venir se blottir contre la chaleur de son corps, posant sa tête sur son torse musclé. Elle n'avait plus rien à perdre, de toute façon, et elle avait besoin de l'avoir un moment rien que pour elle.

– Damen ? murmura-t-elle désespérée à son oreille, brûlant de le caresser.

Il ne répondit rien tout d'abord, mais se retourna lentement quelques minutes plus tard. Il ouvrit alors les yeux, la regarda un instant, surpris, comme s'il la reconnaissait... avant de se mettre à hurler à la mort.

Charlotte courut se réfugier dans un coin de la chambre. Elle le vit, impuissante, qui s'asseyait sur le bord de son lit, le corps ruisselant de sueur, manifestement en état de

choc. Il l'avait vue en rêve. Mais pas comme elle l'aurait souhaité.

– Je suis un cauchemar pour lui, admit-elle, le cœur serré, comme elle quittait sa chambre.

Elle n'avait nulle part où aller. Rien qui pût la soulager, ni lui offrir aucun réconfort. Elle avait épuisé toutes ses possibilités. Son dernier espoir s'enfuyait, comme balayé par la pluie qui battait dehors ou par la sueur nocturne de Damen.

Charlotte déambula toute la nuit, écrasée par la honte et le chagrin. À l'aube, elle décida de se diriger vers le lycée des Aubépines, sur les marches duquel elle se roula en boule, attendant les premiers signes de vie. Ses paupières fatiguées se fermèrent. Elle s'endormit.

Au petit matin, arrivèrent les élèves qui se déversaient par flots des bus scolaires, les professeurs et les employés du lycée. Comme les derniers retardataires se précipitaient vers les grilles, elle se réveilla en sursaut. Elle était en retard pour son cours. Elle se redressa, fourbue, comme si des centaines d'élèves bien vivants lui avaient marché dessus – ce qui s'était effectivement produit. Aussitôt, elle se rendit dans la salle de la classe des Morts. Mais celle-ci était vide. Tous les élèves se trouvaient déjà dans la cour pour la récréation, à l'exception de Prue, à qui M. Cerveau avait demandé de rester.

– La piscine ? tempêtait Cerveau. Non mais quelle idée ! Vous devriez pourtant le savoir !

– Moi ? demanda Prue. C'est trop fort, ça !

Elle était tentée de rejeter la faute sur Scarlet, Damen et tous les autres, mais elle se mordit la lèvre. Il existait un code de solidarité entre les élèves de la classe des Morts. Même très en colère, elle refusait de le briser.

– Je sais que vous avez un problème avec Charlotte, reprit Cerveau. Mais vous ne faites qu'aggraver la situation.

– Non, ça ne peut pas être pire.

– Si, malheureusement. Notre heure sonnera bientôt, Prue.

– Ou non. Elle pourrait faire tout capoter !

– Alors vous devez trouver un autre moyen de la gagner à votre cause, conclut le professeur. Nous n'irons jamais nulle part sans elle.

– Vous n'en avez pas la certitude ! dit Prue. Les autres…

– Les autres le savent très bien également, l'interrompit Cerveau. Tout comme toi.

Prue le considéra d'un air interrogatif.

– Je sais que c'est dur pour toi de laisser ta place à Charlotte, reprit Cerveau, plus gentiment cette fois. Tu as toujours été à la tête de cette classe.

– Elle ? Me remplacer ! Ce n'est pas possible ! Elle n'en a pas l'étoffe ! Elle se fiche complètement de savoir que nous pouvons rester coincés là pour l'éternité !

– C'est donc qu'il faut lui donner le moyen de s'en soucier. C'est ton défi à toi.

– Mais elle ne veut rien entendre…

– Ah, et ça ne te rappelle pas quelqu'un ?

La porte de la classe grinça. M. Cerveau et Prue se retournèrent dans la direction du bruit qui les avait surpris.

– Tiens ! Quand on parle du loup…

– Bonjour, Charlotte, dit Cerveau avec chaleur.

– Je crois qu'il est temps que je m'en aille, dit Prue sur un ton qui laissait deviner sa jalousie, comme Charlotte passait la tête par la porte entrebâillée pour voir si le professeur était disponible.

Prue s'enfuit, les yeux baissés, vexée, ne voulant pas croiser le regard de Charlotte. Elle fit claquer la porte derrière elle par télékinésie, ce qui en disait long sur son opinion. Mais, frustrée, elle colla son visage contre la porte et se laissa glisser en salissant la vitre pour se moquer de la mort de Charlotte.

– Pourquoi me déteste-t-elle autant ? demanda celle-ci à M. Cerveau.

– Elle ne te déteste pas… Mais nous avons tous besoin de savoir que nous pouvons compter les uns sur les autres, ici, afin d'accomplir ensemble la mission qui nous incombe.

– J'essaye, pourtant…

– Ah bon ?

Charlotte réfléchit un instant à cette question toute rhétorique. Puis elle poussa un profond soupir. Elle était de plus en plus abattue.

– Je ne sais pas ce que je fais, admit-elle en ouvrant totalement son cœur. Je rate tout ce que j'entreprends et je gâche tout ce qui compte à mes yeux. Le bal, Damen, les amis, la maison, ma vie, tout…

– C'est peut-être ça, la leçon que tu dois apprendre. Il faut que tu cesses de t'accrocher à la vie, pour commencer à mourir. Tu es murée dans le déni.

– J'essaye de lâcher prise, mais je fais toujours les mauvais choix. J'ai pourtant tout tenté pour obtenir ce baiser de minuit… Enfin, je veux dire… pour résoudre mon problème…

Mais elle s'était trahie.

– Le baiser de minuit ? répéta Cerveau qui commençait à comprendre. Charlotte, est-ce que quelqu'un t'a vue ?

Son silence était suffisamment éloquent.

– T'es-tu jamais demandé ce que ça pouvait faire, qu'on te voie ? Il ne s'agit pas seulement d'obtenir ce que tu désires.

– Comment ça ?

– Tes choix nous influencent tous, Charlotte. Ils n'ont pas que des conséquences pour toi, reprit posément Cerveau. Entrer en interaction avec les vivants est presque dans tous les cas interdit. Formellement. Le risque est trop grand pour eux… comme pour nous.

– Et depuis quand mes choix ont-ils une quelconque importance ? gémit Charlotte. Je ne veux pas de cette responsabilité. Je n'arrive déjà pas à résoudre mes propres problèmes, alors ce n'est pas pour prendre en charge ceux des autres...

– J'ai bien peur que ce ne soit pas à toi de décider, Charlotte. Tes problèmes deviennent ceux des autres.

– Super ! Moi qui étais venue pour vous demander un petit conseil...

Mais Cerveau ne la regardait plus. Il avait les yeux dans le vague.

– Il y a pourtant une autre possibilité...

– Laquelle ?

– Le fait qu'on puisse te voir... et que nous soyons invisibles... C'est peut-être la clef pour résoudre ton problème... et le nôtre...

– Êtes-vous en train de me dire que je suis destinée à aller au bal ? demanda Charlotte, retrouvant espoir. Serait-il possible que le baiser de minuit soit la clef de ma Résolution ?

– Ne nous emballons pas, fit Cerveau, soudain très prudent. Je n'ai pas dit ça.

– Mais il y a une chance ? le pressa Charlotte.

– Nous ne pouvons pas le savoir par avance, dit mystérieusement Cerveau. Il y a tellement de variables...

Charlotte l'interrompit dans son explication, soupesant les options à voix haute, dramatique.

– Embrasser ou ne pas embrasser, telle est la question, déclama-t-elle en levant les bras au ciel, semblable à un acteur dans une piètre mise en scène d'*Hamlet*.

– Les enjeux sont considérables, Charlotte. Nous plaçons notre avenir à tous entre tes mains...

Charlotte envisagea l'infinité des possibilités dans sa tête, effectuant rapidement un petit calcul. Mais sa réponse ne laissa aucun doute.

– C'est un risque que j'accepte de prendre, monsieur Cerveau! s'exclama-t-elle, maintenant très enthousiaste à l'idée d'endosser cette responsabilité.

– Souviens-toi pourtant de ceci : ce n'est pas parce que tu *peux* faire une chose que cela signifie que tu le *dois*…

Mais elle ne l'écoutait déjà plus. Cerveau lui avait dit ce qu'elle voulait entendre. Le bal, Damen, le baiser de minuit… C'était à elle de décider!

– Merci, dit-elle, alors très sincère. Vous me sauvez la vie.

– Te sauver la vie? reprit le professeur, soucieux. Ce n'est pas tout à fait ce que j'avais en tête…

– Ah! embrasser Damen! soupira Charlotte en quittant la pièce sur un petit nuage.

Prue, tapie dans l'ombre de la porte, était plus déterminée que jamais à l'arrêter.

– Ou ne pas l'embrasser…, rétorqua-t-elle, énigmatique.

❧

Mais Charlotte songeait déjà à cet autre problème qu'il lui fallait résoudre : plus petit, mais non moins important. Scarlet. Elles ne s'étaient pas reparlé depuis la scène à la piscine. Et sans son aide, rien ne serait envisageable.

C'est alors qu'une annonce du proviseur retentit dans les couloirs déserts, diffusée par les haut-parleurs.

«À l'attention de tous les élèves du lycée. En raison de l'inondation du gymnase, nous avons le regret de vous informer que le bal de l'Automne n'aura pas lieu cette année. À moins de trouver un autre endroit convenable, nous sommes obligés d'annuler cet événement. Je tiens à vous signaler que les perspectives ne sont actuellement pas très bonnes.»

Les réactions à cette annonce furent très différentes. Pétula, occupée à lire l'article «Comment faire plaisir à son jules» dans le dernier numéro de *Cosmo*, ne put retenir un cri de joie. Damen, qui se préparait à entrer sur le terrain pour un entraînement de football, montra quelque déception, tandis que Scarlet, en cours d'histoire, en fut secrètement affligée.

Dehors, dans la cour, Charlotte passa devant Prue, ayant manifestement recouvré son entrain.

– Je sais! s'exclama-t-elle, tout excitée.

21

Dead Can Dance

Certains croient que tenir bon rend fort ;
mais, parfois, c'est de lâcher prise qui importe.

Hermann Hesse.

Persuasion.

———◆×◆———

Pour que quelqu'un vous pousse à croire
ou à faire quelque chose qui ne vous
ressemble en rien, il faut que cette
personne ait auprès de vous quelque
crédit. Une certaine confiance doit
exister. Une fois rompue, cette confiance
est difficile à retrouver. Charlotte se
montrait désormais plus convaincante,
mais ce qu'elle avait fait jusque-là n'était
pas très joli.

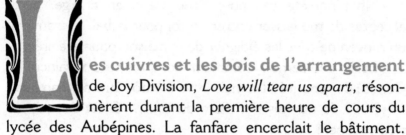 **L**es cuivres et les bois de l'arrangement de Joy Division, *Love will tear us apart*, résonnèrent durant la première heure de cours du lycée des Aubépines. La fanfare encerclait le bâtiment. Assise sur le rebord de la fenêtre de l'entrée, Charlotte dominait les musiciens. Très vite, elle repéra Scarlet qui approchait. Elle surgit soudain devant elle, l'effrayant à lui glacer les sangs.

– Écoute, je sais que nous ne sommes plus amies, mais pourquoi ne pas être «enamies»?

Scarlet retira ses écouteurs et éteignit son iPod, croisant les bras d'un air sévère. Elle semblait ne pas lui être tout à fait hostile.

– Vas-y, je t'écoute.

– Pour l'instant, tu ne peux pas te venger de ta sœur, ni aller au bal, à moins qu'ils ne trouvent une salle pour remplacer le gymnase...

– Oui, ça paraît peu probable, en effet, grogna Scarlet. Alors si j'étais toi, je ne m'emballerais pas trop à ce sujet.

Charlotte avait pensé, très naïvement, que la perspective de prendre sa revanche sur Pétula suffirait à motiver Scarlet, mais celle-ci avait une autre raison d'accepter qu'elle ne pouvait avouer à Charlotte – ni à elle-même. En vérité, l'idée d'aller au bal en compagnie de Damen l'excitait.

– Que dirais-tu de faire ça au manoir ? lança Charlotte avant que Scarlet ait pu remettre ses écouteurs et filer vers sa classe.

– Tu oublies deux problèmes majeurs. L'un, et non des moindres, étant la rigidité cadavérique incarnée...

– Ne t'inquiète pas pour Prue. Je m'en charge. Si tu acceptes de me laisser entrer en toi pour le bal, je trouverai un moyen de tous les éloigner de la maison pour la soirée.

– Et le deuxième : comment comptes-tu convaincre le Comité de sécurité ? La maison va bientôt être condamnée !

– Moi ? Je ne vais rien faire du tout... C'est toi qui vas t'en occuper !

∽

Ce soir-là, au cours de la réunion du Comité de sécurité, Scarlet se présenta devant les membres de l'assemblée sans avoir été invitée à parler.

– Je sais où le bal peut avoir lieu, dit-elle dans un souffle.

Tous demeurèrent silencieux, reposant leur rafraîchissement, curieux.

– Nous avons déjà vérifié, le cimetière est réservé. Des milliers de gens font la queue devant les grilles : ils meurent d'envie d'entrer, s'emporta un râleur dans le fond de la salle.

Une fille, qui comptait parmi les plus populaires du lycée, lui donna un coup de coude pour l'engager à se taire.

Mais Scarlet ne se laissa pas démonter, surprise par le respect qu'elle semblait leur inspirer désormais.

– Et où ça? demanda la fille en question.

∞

Pendant ce temps, Charlotte se rendait à une réunion de sa classe des Morts.

– Que le bal se déroule ici? En quoi ça va nous permettre de sauver la maison? demanda Métal Mike.

– Si nous vidons les lieux, et que nous permettons aux vivants de faire leur bal ici, les autorités verront que l'endroit est sain, et ils n'enverront pas les bulldozers, répondit Charlotte avec assurance. Ça montrera aussi que l'édifice peut servir à d'autres choses…

Nerveuse, elle attendit leur réaction, craignant le pire, le cœur pourtant plein d'espoir.

∞

De l'autre côté de la ville, Scarlet cherchait toujours à convaincre son auditoire.

– L'endroit est grand… Il est vide depuis des années… Enfin, si on veut…

Lucinda, marraine des anciennes des pom-pom girls du lycée des Aubépines, se leva aussitôt pour lui manifester son soutien. Elle ressemblait un peu à Dolly Parton, sans le talent, avec ses cheveux blancs, son visage outrageusement fardé et ses longs ongles peinturlurés.

– Eh bien, quelqu'un me doit une faveur, à la mairie… Je suis certaine d'obtenir leur accord à ce sujet, pour une nuit! dit-elle en adressant un clin d'œil à Scarlet.

Celle-ci soupira, soulagée: au moins, quelqu'un était avec elle!

– On pourrait même récolter des fonds sur une soirée à thème, genre «Bal du manoir hanté», pour réparer les dégâts du gymnase, reprit-elle, plus solidement campée sur ses jambes galbées sous son collant résille.

– C'est vrai que c'est assez sympa, l'idée d'organiser un bal dans un manoir abandonné… Oui, ça fout un peu les jetons, s'écria la fille populaire, mettant un point final à l'assemblée.

❧

– Donc, on est d'accord, conclut Pam en adressant un clin d'œil à Charlotte. Nous les laissons organiser leur bal ici? D'ailleurs, qu'est-ce qu'on a à perdre?

Charlotte n'en revenait pas. Après tout ce qu'elle lui avait fait subir, Pam continuait de la soutenir!

– Est-ce qu'il y aura un tapis rouge? demanda Coco, le regard dans le vague.

L'enthousiasme était général. Seule Prue demeurait impassible, verte de rage que Charlotte ait pu conduire aussi facilement son affaire.

Tous les élèves allèrent la féliciter en sortant de la pièce. C'était son heure de gloire, et elle en profitait sans honte. Mais son sourire radieux s'éteignit lorsqu'elle aperçut Prue en bout de file.

– Je sais que tu te crois *destinée* à aller à ce bal, lui siffla cette dernière sur un ton hostile. Ça t'arrange bien, hein? Tu es vraiment une sale petite égoïste…

– De quoi tu parles? lui demanda Charlotte, penaude.

– Tu as peut-être réussi à berner les autres, mais moi, certainement pas! Tu te fous complètement de sauver la maison, en fait.

– Tu n'as pas assisté à la réunion ou quoi ? rétorqua Charlotte, retrouvant un peu de son aplomb. J'ai tout prévu ! Tu es simplement jalouse parce que c'est moi qui dirige les opérations, maintenant, et non plus toi.

Prue demeura quelques instants silencieuse pour souligner son effet, avant de répondre par cette phrase assassine :

– Tu gobes vraiment tout, toi…

೧ು

Scarlet et Charlotte ne perdirent pas une minute. De peur que les gens ne changent subitement d'avis, elles rassemblèrent fébrilement tout le monde pour les aider à préparer le bal.

L'équipe de nettoyage, désignée par le Comité de sécurité des Aubépines, travailla d'arrache-pied pour rendre présentable la vieille demeure. Tout ce qui devait être jeté fut jeté, les sols récurés, la poussière balayée, les meubles et les lustres réparés. L'on cira également les planchers.

La vieille demeure reprit bientôt vie. Ignorant tout des présences fantomatiques qui les entouraient, les vivants décorèrent les lieux de fausses toiles d'araignées dans tous les coins, aspergèrent les murs d'un sirop de couleur rouge, firent provision de neige carbonique, trouvant mille idées plus artificielles les unes que les autres pour décorer les couloirs du train fantôme qu'ils avaient fabriqué. La décoration des morts était quant à elle un peu plus… authentique.

Rita la Pourrie cracha de vraies araignées afin qu'elles colonisent les toiles. Kim frotta le côté blessé de son crâne le long des murs, laissant derrière elle une trace répugnante de sang coagulé et de morceaux de chair. Elle recula pour admirer son travail, à la manière d'un maître de la Renaissance devant l'un de ses tableaux.

Scarlet était en train d'installer les platines et la chaîne, vérifiant le fonctionnement des enceintes. Son casque sur les oreilles, perdue dans ses pensées, elle s'affaira ensuite à choisir les morceaux de la soirée, comme s'il s'agissait d'une mission de la plus haute importance.

– Il faut que je te parle, lui dit Charlotte par l'intermédiaire du casque.

Scarlet sursauta.

– Tu ne peux pas me taper sur l'épaule, comme toute personne normalement constituée ? demanda Scarlet. Je sais ce que tu vas dire. Ne t'inquiète pas. Tu auras ton tour.

– Eh bien, le truc, c'est qu'il faut que ce soit moi qui danse avec lui, à minuit pile, à cause du baiser…

– C'est quoi, cette histoire ? Tu es devenue une sorte de Cendrillon des Enfers ? Arrête un peu, c'est un mythe, ce truc. Une blague.

– Non, ce n'est pas une blague. M. Cerveau me l'a affirmé, répondit Charlotte tandis que les mots de Prue lui revenaient en mémoire. Scarlet, c'est MOI l'Élue, maintenant.

– L'Élue ? pouffa Scarlet.

– Oui, pour une fois, c'est moi qui dirige les opérations. Ce baiser, le fait que tu puisses me voir, tout ! Cela prouve que c'est Damen, mon problème non résolu. L'embrasser va me permettre d'en finir avec tout ça. Non seulement moi, mais les autres aussi ! Il m'est destiné ! Tu es mon seul espoir.

Scarlet considéra Charlotte d'un regard vide, tandis qu'elle poursuivait son explication.

– Tu n'y crois peut-être pas, à cette histoire d'élue… Mais tu crois en moi, n'est-ce pas ?

– Bon, d'accord. Il suffit d'un baiser, c'est ça ? soupira Scarlet, se souvenant qu'il ne s'agissait pour elle que d'une soirée, et qu'il en allait de l'éternité pour Charlotte.

Tandis que tous les autres s'affairaient pour les préparations du bal au manoir des Aubépines, Pétula et les deux Wendy œuvraient de leur côté pour faire de cette soirée un lamentable échec. L'heure était à la recherche des grands moyens.

– Alors, les filles, qu'est-ce que vous en pensez? demanda Pétula, ivre de colère, en se retournant vers ses amies, étalant sur sa bouche le rouge à lèvres sanglant de Scarlet, celui qu'elle avait arraché des mains du proviseur.

– On dirait Marilyn, s'écria Wendy Anderson. Je veux dire, Marilyn Manson!

Les deux Wendy éclatèrent de rire, incontrôlables.

– Tu es trop drôle, gloussa Wendy Thomas.

– Ah oui? demanda Pétula, l'air lugubre. Comment ça, trop drôle?

– Ben je veux dire, marrante, quoi, répondit la jeune fille, soudain nerveuse.

– Marrante, comme si j'avais l'air de blaguer, c'est ça? grimaça Pétula, les yeux exorbités. Comme si je faisais tout ça rien que pour vous amuser?

L'humeur s'assombrit aussitôt dans la chambre.

– Oh, je rigolais, lâcha finalement Pétula, redevenant elle-même.

Les deux Wendy échangèrent un regard, soulagées, puis reprirent leur conversation. Il s'agissait d'organiser la vengeance de Pétula dans les moindres détails.

– Allez, les filles, fit Wendy Thomas. Faut trouver des idées, là!

– Je veux que le châtiment soit à la hauteur du crime! dit Pétula, mâchoires crispées, retroussant les lèvres sur ses dents qui paraissaient anormalement blanches, à cause du rouge.

– Bon, alors il faut que ça se passe pendant le bal, déclara Wendy Anderson. Mais, là-bas, elle va être difficile à atteindre.

Pétula réfléchit quelques instants avant de s'exclamer :

– Quelle est, à votre avis, la pire chose qui puisse arriver à une gothique devant tout le lycée ?

– On pourrait l'arroser d'un baquet de sang, suggéra Wendy Anderson.

– Non, c'est du déjà-vu, ça. Et puis, elle serait capable d'apprécier, reprit Pétula. Non. Mais tu es peut-être sur une piste, là…

❧

Scarlet décida de tenter une nouvelle fois sa chance : elle finirait bien par trouver quelque chose. Elle tapa de nouveau «Prue», cette fois après avoir rentré le mot de passe du rédacteur en chef du journal du lycée, M. Filosa, qu'elle avait trouvé «par hasard» dans son tiroir.

Grâce à lui, elle aurait accès à toutes les archives de l'école disponibles en ligne. Elle attendit quelques minutes que la page s'affiche. Enfin, un lien apparut sur l'écran. Un seul !

«Délit de fuite devant le lycée des Aubépines», titrait l'article. Scarlet le parcourut rapidement, faisant glisser le curseur le long de la page d'une main tremblante. Elle avait trouvé ce qu'elle cherchait. Enfin.

LE TRIBUNAL DE GRANDE INSTANCE A STATUÉ AUJOURD'HUI, DÉCLARANT QUE LA MORT DE L'ÉLÈVE PRÉNOMMÉE PRUDENCE SHELLEY, INSCRITE AU LYCÉE DES AUBÉPINES, ÉTAIT BIEN UN ACCIDENT. PRUDENCE SHELLEY ÉTAIT À BORD DE LA VOITURE DE LA COQUELUCHE DES STADES D'ATHLÉTISME, RANDOLPH HEARST ; ILS SE RENDAIENT TOUS DEUX AU BAL DE L'AUTOMNE LORSQUE,

D'APRÈS LES DIRES DU JEUNE HOMME, ELLE LUI A DEMANDÉ DE LA DÉPOSER LE LONG DE LA ROUTE. C'EST LA DERNIÈRE FOIS QU'ON L'A VUE VIVANTE. APRÈS DEUX JOURS DE RECHERCHES, SON CORPS A ÉTÉ DÉCOUVERT DANS UN FOSSÉ PAR UN LIVREUR DE LAIT.

– *Prudence*! s'exclama Scarlet. Mais bien sûr!

LES SERVICES DE POLICE ONT LONGTEMPS CRU QUE LE JEUNE HEARST N'AVAIT PAS DIT TOUTE LA VÉRITÉ AU SUJET DE LA DISPARITION DE SON AMIE; CE DERNIER A ÉTÉ ACCUSÉ D'HOMICIDE. IL AURAIT ASSASSINÉ LA JEUNE FILLE AVANT DE DISSIMULER L'AFFAIRE EN LUI ROULANT DESSUS. MAIS, FAUTE DE PREUVES, RANDOLPH HEARST A ÉTÉ DÉCLARÉ NON COUPABLE. IL N'Y AVAIT PAS D'AUTRES SUSPECTS.

« ÉTANT DONNÉ LA NATURE DES BLESSURES RETROUVÉES SUR LE CORPS DE LA JEUNE FILLE, JE NE PEUX CROIRE À UN SIMPLE ACCIDENT DE LA CIRCULATION », NOUS A CONFIÉ EN APARTÉ LE PROCUREUR DE LA RÉPUBLIQUE.

LES PARENTS DE PRUDENCE, SCANDALISÉS, ONT DÉCLARÉ : « ON LUI AVAIT POURTANT DIT DE NE PAS FRÉQUENTER LES FILS DE RICHES. ÇA NE FERAIT QUE LUI ATTIRER DES ENNUIS. MAIS ELLE N'A JAMAIS RIEN VOULU ENTENDRE. ELLE N'ÉCOUTAIT JAMAIS CE QU'ON LUI DISAIT. »

– Aïe! M'a tout l'air que ce sont les parents, les responsables, oui...

HEARST EST RETOURNÉ À SES ÉTUDES À L'UNIVERSITÉ, OÙ IL PRÉPARE UN MASTER D'ÉCONOMIE. IL N'A PAS SOUHAITÉ COMMENTER L'ISSUE DU PROCÈS, MAIS SON AVOCAT, RUFUS BENCH, A AFFIRMÉ QUE LE JEUNE HOMME S'ÉTAIT DIT « SOULAGÉ ».

Scarlet demeura quelques instants les yeux rivés sur l'écran, songeant aux circonstances tragiques de cette mort. Elle avait trouvé les réponses à ses questions... ainsi que le moyen d'attaquer !

Au lycée des Aubépines, Prue était seule dans le fouillis des objets de la salle de classe. Debout sur l'estrade, elle s'amusait à faire grincer ses ongles sur le tableau, encore et encore, toujours hors d'elle à l'idée de la pagaille qu'avait semée Charlotte. Rongée par l'impuissance, elle ne voulait pas s'abaisser à violer le code de solidarité existant entre les élèves du manoir.

– Oh, je sais ! On n'a qu'à faire peur aux acheteurs potentiels, l'imitait-elle en prenant une voix nasillarde.

Déjà, ce minable projet lui avait paru ridicule, mais l'idée d'organiser ce bal dans la maison l'était plus encore. Et toute cette histoire de baiser de minuit dépassait son entendement : Charlotte les menait à la catastrophe, voilà tout. Ils risquaient de disparaître dans l'oubli pour l'éternité. Elle ne supportait pas de rester là sans rien faire.

– Les effrayer, reprit-elle à voix haute, levant les bras au ciel. Quelle idée stupi... » Mais elle s'interrompit, bras en l'air. «Mais oui ! Cerveau a raison ! déclara-t-elle en considérant la chaise vide de ce dernier sur l'estrade. Il faut que je trouve un autre moyen de la ramener à notre cause. Je ne peux pas faire grand-chose contre elle. Mais les autres... »

L'étincelle de la foi scintillait dans ses yeux.

22

Cœur qui saigne

L'esprit possède mille yeux
Et le cœur n'en a qu'un
Mais c'est la lumière de toute une vie qui s'éteint
Quand l'amour est mort.

Francis W. Bourdillon.

La vie nous change,
et l'amour aussi.

───◆◆◆◆───

Changer ne signifie pas qu'on touche à une fin. C'est une transformation. Jamais achevée, celle-ci oblige à nous adapter à une nouvelle forme ou bien à de nouveaux sentiments. Le plus dur, au cours de ce processus naturel, est de lâcher prise, de laisser les événements suivre leur cours. Il y a un temps et un lieu pour tout. Un temps pour être quelqu'un dans la vie, puis, une fois ce temps passé, vient l'opportunité de se transformer en autre chose. Avec un peu de chance, il y a aussi un temps pour aimer ; et, dans le cas de Charlotte, de se transformer peut-être en quelqu'un susceptible d'être aimé.

Le grand salon avait été transformé en une magnifique forêt enchantée, avec des squelettes mexicains du jour des Morts suspendus à d'énormes arbres sans vie qui montaient jusqu'au plafond de la cathédrale, illuminés de milliers d'ampoules scintillantes qui rappelaient les petites clochettes à cinq pétales dont Charlotte avait décoré sa chevelure. C'était encore plus beau qu'elle ne l'avait imaginé. Elle n'arrivait pas à croire que son rêve le plus fou allait bientôt se réaliser.

Charlotte traversa la cour extérieure du manoir pour aller sur la piste de danse. En chemin, elle admira les jeux macabres que les élèves avaient inventés, telles ces cibles de fléchettes, répliques de cire des têtes de leurs professeurs. Elle s'arrêta pour observer de plus près les détails, s'amusant follement des défauts qui avaient été accentués, lorsqu'un garçon envoya une fléchette dans la tête de M. Machin, en plein dans son œil valide. Charlotte pouffa en voyant le prix qu'on lui remettait : une poupée de chiffon couverte de sang revêtue d'un tee-shirt déchiré à l'effigie du lycée.

Elle alla faire un tour du côté du train fantôme et remarqua une fille habillée en reine de la soirée qui attendait de monter à bord de son wagon. Charlotte la regarda un moment saluer les élèves de la file, qui, enlacés, ne pensaient qu'à ce qu'ils allaient pouvoir peloter dans le noir.

– Avez-vous vu ma couronne ? demanda la reine de la soirée, debout sur son fauteuil de velours gothique. Ah oui, c'est vrai, elle est là, dit-elle en se l'enfonçant sur la tête, faisant gicler du sang artificiel dans toutes les directions avant de s'engouffrer dans l'obscurité du tunnel.

Charlotte ouvrait grands les yeux. Elle voulait profiter de chaque seconde. Elle attendait ce moment depuis des années : pas question de le laisser filer. Elle parcourut du regard les tables disposées çà et là autour de la piste de danse, sur les carreaux de marbre blancs et noirs du grand salon. Sur chaque table trônait une énorme couronne mortuaire de roses noires, dans laquelle on avait planté des bougies. Noires, également.

La pièce était bondée, mais elle repéra très vite Damen. Les cieux s'ouvrirent : ce fut comme si un flot de lumière irradiait de lui. Du moins était-ce l'impression qu'il lui faisait. Il était là, magnifique, dans son costume noir et blanc, telle une vedette de cinéma. Aussi beau que sur son fond d'écran. Il était en train de discuter avec son copain Max et la petite amie de celui-ci. Il avait une façon si élégante de se pencher vers eux ! On aurait dit un top model sur une publicité pour un parfum chic, dans un numéro de *Vogue*. Charlotte demeura quelques instants immobile, s'imprégnant de cette vision.

– Où est-elle ? demanda soudain Damen à voix haute.

– T'inquiète, elle s'est sûrement arrêtée en route pour participer à un concours d'Halloween ou un truc dans le genre, murmura Max en se levant pour aller faire un tour en train fantôme avec sa petite amie.

– Ouais, c'est ça, répondit Damen sans vraiment l'écouter.

Il parcourait la salle du regard lorsqu'il l'aperçut.

Charlotte en eut le souffle coupé : il la regardait ! Il la voyait ! Elle avala sa salive pour s'humidifier la gorge qui s'était resserrée de nervosité. Elle agita la main pour le saluer.

Damen sourit et agita la main en retour.

Max et sa petite amie s'apprêtaient à grimper dans leur wagon quand ils se retournèrent eux aussi vers Charlotte.

La musique prit alors une envolée dramatique, exactement comme dans les vieux films en noir et blanc. Charlotte était époustouflée.

Comme elle s'avançait vers la piste de danse, elle remarqua que Damen ne la suivait plus du regard. Elle se retourna : Scarlet entrait derrière elle. Scarlet ! C'était sur elle que ses yeux étaient rivés.

Comme les yeux de toute l'assemblée, d'ailleurs. On aurait dit une starlette des années quarante : elle portait cette robe que Charlotte avait repérée dans son cabinet de toilettes, le jour où elles s'étaient rencontrées : une robe de sequin bleu nuit, coupée aux genoux et parsemée de perles de cristal Swarovski. Ses lèvres étaient rehaussées d'un rouge foncé, très classique, et elle avait enroulé ses cheveux en un chignon délicat.

Damen demeurait bouche bée. Charlotte aussi.

Lentement, Scarlet s'avança jusqu'à lui et s'assit sur une chaise à ses côtés.

– Tu es…, dit-il, sans trouver ses mots.

– Normale ?

– Non, non, sûrement pas !

Les voir était une torture pour Charlotte. Sa robe à elle se fondait parfaitement avec le papier peint dans son dos. Elle avait l'impression d'être un pot de fleurs. Rien de plus.

– Tu sais ce qu'on dit, «je ne voyais qu'elle dans la salle», après tout, ce n'est pas un cliché quand ça t'arrive en vrai, dit Damen. Tu veux… danser ?

– Non, répondit Scarlet, un peu étourdie par ce qu'il venait de dire.

– Ah bon, murmura Damen, déçu.

– Non ! Je veux dire, je n'aime pas trop danser.

Alors ils décidèrent de faire ce qu'ils aimaient tous les deux, et se dirigèrent vers les platines. Ils se faufilèrent derrière les bacs pour fouiller dans les disques, échangeant des regards et des sourires tout le long. Ils s'amusèrent un moment à faire des medleys avec des morceaux ringards et des tubes. La piste de danse était noire de monde pendant que Scarlet mixait.

– T'es douée, s'écria Damen, admiratif.

Soudain, le MC fit une annonce dans le micro :

– Salut, les petits cocos, j'espère que vous allez bien… Vous sentez la magie dans l'air ? Alors, préparez-vous… Bientôt l'heure… du baiser de minuit !!!!

Scarlet jeta un regard en direction de sa table et vit Charlotte qui attendait patiemment son tour.

– Je reviens tout de suite, dit Scarlet à Damen, interrompant leur set.

Elle sauta de l'estrade pour aller rejoindre Charlotte.

– Dépêche, ou tu vas rater mon bootleg de Slim Whitman et des Horrors ! lui cria-t-il.

– Hmm, attends voir. Est-ce que je préfère me faire pipi dessus ou écouter Slim ? plaisanta-t-elle en tendant ses deux paumes devant elle, comme si elle soupesait chacune des options. Heu… pardon, mais je crois que je préfère encore aller aux toilettes !

Damen sourit, cependant que Scarlet entraînait Charlotte derrière l'un des arbres morts du jardin.

– Merci du fond du cœur, lui dit Charlotte. Je n'arrive pas à croire que je vais enfin l'avoir, ma danse !

Scarlet posa ses deux mains sur les épaules de son amie pour commencer le rituel de possession. Charlotte crut détecter une pointe de tristesse dans ses yeux, mais elle préféra l'oublier aussitôt.

Le rituel se déroula très vite, sans encombre.

– Tu deviens très bonne, la complimenta Scarlet, se rendant compte qu'elle n'avait pas éprouvé l'immense sensation de libération qu'elle éprouvait d'habitude au moment de quitter son corps.

– Mieux vaut tard que jamais, répondit timidement Charlotte.

Elles échangèrent un sourire, puis chacune partit de son côté : Charlotte, le corps cintré dans la robe magnifique de sequin bleu, s'en fut rejoindre Damen, et Scarlet alla faire un tour dans le train fantôme.

23

Ton fantôme

La salle de bal était comble.
Elle brillait de mille feux ;
une jeune femme apparut,
la plus belle entre toutes.

Arthur J. Lamb.

Je t'aime, mais je ne suis pas amoureux de toi.

Cette distinction ne signifie rien. Elle est même complètement dépassée, si on y réfléchit bien. L'amour, c'est l'amour, point. Ce qu'on entend par «être amoureux», c'est cette obsession de l'autre, ce besoin qu'on ressent de lui en permanence. Mais ce n'est pas l'amour, le vrai. Être amoureux, c'est ne penser qu'à ses propres besoins et ses propres désirs, plutôt que de considérer ceux de l'autre. L'amour, le vrai, en revanche, est un pont jeté entre deux êtres. Il avait fallu à Charlotte qu'elle meure, et même quelque temps après sa mort, pour le comprendre vraiment.

**L**e cœur de Charlotte cognait très fort dans sa poitrine tandis qu'elle traversait la piste de danse pour rejoindre Damen près des platines. Se trouver là, en vrai! L'excitation de cet instant, le plus beau de toute sa vie – et maintenant, de sa mort –, lui tournait presque la tête. Elle n'avait vécu que pour cela, elle en était même morte, et maintenant – maintenant! – cela lui arrivait EN VRAI.

– Tu veux danser? demanda Charlotte en donnant une petite tape sur l'épaule de Damen.

Tout d'abord, le garçon pouffa, pensant qu'elle plaisantait, mais devant son sérieux, il ajouta :

– Je ne te comprendrai jamais.

Alors, il mit un slow, et passa les commandes à l'un de ses copains pour la conduire d'un geste tendre vers la piste de danse.

– Je crois qu'on a fait du bon boulot avec la musique, tout à l'heure, dit-il en la serrant contre lui.

Charlotte changea de sujet. La musique, c'était Scarlet. Elle, la danse.

– Oui, mais c'est quand même mieux de danser dessus que de rester planté à l'écouter?

Damen eut de nouveau l'air interloqué par son comportement schizophrène, mais également charmé. Elle posa sa tête sur son épaule, jouissant de ce que tout le monde les regardait tandis qu'ils évoluaient sur la piste.

– C'est si bon que je pourrais mourir maintenant, murmura Charlotte.

Pendant qu'ils dansaient, ils passèrent devant les deux Wendy qui les regardaient tels des vautours depuis le bord de la piste. Les deux filles envoyèrent aussitôt un texto à Pétula, accompagné de photos, autant pour l'informer que pour l'irriter, de cette façon passive agressive qui était leur spécialité. Pétula attendait devant son ordinateur et, lorsqu'elle ouvrit les messages successifs avec leurs pièces jointes, sa rage frisa la fureur.

– C'est parti! répondit-elle simultanément aux deux Wendy.

❧

Espérant éviter de les voir s'embrasser, Scarlet embarqua dans un wagon vide du train fantôme pour visiter la maison hantée. Elle s'arrêta devant un groupe d'enfants qui rejouaient une scène de son film préféré, *Delicatessen*. Une jeune fille qui lui ressemblait vaguement faisait semblant de découper des gamins pour concocter des pâtés, qu'elle donnait ensuite à leurs parents qui n'y voyaient que du feu.

– Il s'est souvenu, dit Scarlet, touchée du mal que s'était donné Damen pour elle, regrettant également qu'il ne soit pas là pour partager son émotion.

Soudain, elle remarqua que l'air qu'expiraient les vivants était visible, comme si l'on était en plein cœur de l'hiver. La maison hantée devint alors silencieuse ; un froid mortel s'installa. Scarlet eut un sombre pressentiment en apercevant une silhouette familière plus loin, le long des rails.

– Tu sais, nous ne nous sommes jamais embrassés, finalement, au bord de la piscine…, dit Charlotte, surveillant l'horloge.

Minuit approchait.

– Si ! Tu ne t'en souviens pas ?

– Oui… C'est vrai… Tu as eu l'un des deux baisers… Mais pas l'autre…

– Nous avons tout le temps ! Nous avons toute la vie devant nous !

– Oui, toute la vie, murmura Charlotte en dissimulant son visage dans l'épaule de Damen.

– Viens par là, jeune fille aux yeux verts, dit-il en lui soulevant le menton.

– Verts ?

À cet instant, Charlotte aperçut leur reflet dans la grande glace qui atteignait le plafond, dans un cadre gothique. C'était Scarlet, et non pas elle, que Damen s'apprêtait à embrasser.

– Ça ne va pas, souffla-t-elle soudain en s'écartant.

– Qu'est-ce que tu veux dire ?

Mais, avant qu'elle n'ait pu lui répondre, on entendit des appels à l'aide depuis les couloirs de la maison hantée. Des cris bien réels. Son amie était en danger ! Il ne pouvait y avoir qu'une seule explication : Prue.

Scarlet leva les yeux : Prue se dirigeait droit sur elle. Paralysée par la peur, elle se recroquevilla dans le wagon et ferma les paupières.

– Scarlet ! murmura Charlotte, quittant le corps de son amie pour s'envoler aussitôt vers la maison hantée.

Alors Scarlet se réincarna, sursautant à l'instant même où Damen déposait le fameux baiser sur ses lèvres. Damen en fut touché, croyant que ce tressaillement était dû à la tension électrique entre eux. Il la serra plus fort contre lui. Troublée, et totalement désorientée, Scarlet répondit à son étreinte. L'espace d'un instant, tout souci, toute menace, toute inquiétude disparurent. Comme leurs lèvres se séparaient à regret, Scarlet posa la tête sur son épaule.

– Alors ? demanda gentiment Damen sans obtenir de réponse.

Elle fit un geste de la main pour éloigner une toile d'araignée, prenant conscience qu'elle venait de recevoir le baiser dont Charlotte rêvait depuis des années. Charlotte ! Elle avait pris sa place dans la maison hantée !

– Charlotte ! s'écria-t-elle en quittant précipitamment son amoureux pour se ruer vers le train fantôme.

– Qui ? Quoi ? demanda Damen sans rien comprendre, avant de courir à sa poursuite.

Charlotte nageait en plein cauchemar. Prue avait entrepris de défoncer la maison. Au sens propre. Elle avait décroché tous les chariots et démonté toutes les décorations censées effrayer les visiteurs. Elle soulevait maintenant les panneaux

de carton d'un simple coup d'œil. Pam et les autres n'osaient l'approcher. Seule Charlotte pouvait l'affronter.

– Il y a du crêpage de chignon dans l'air, trop de la balle ! s'exclama Jerry, tout joyeux.

– Va y avoir du sport ! hurla Métal Mike, tel un animateur sur un ring de boxe, ce qui lui valut des regards assassins de la part de Pam, Kim et Coco, signifiant qu'ils avaient plutôt intérêt à la fermer.

Charlotte avait également très peur pour eux : l'ambiance allait effectivement tourner au vinaigre.

– Vous trouvez ça drôle, vous autres ? gronda Prue.

– Non, maîtresse ! répondirent-ils tous deux, piteux.

– Bien, alors voyons un peu ce qu'ils vont penser de ça ! », dit Prue en désignant les vivants qui commençaient à paniquer devant ces forces invisibles qui semaient la terreur alentour. « C'est ça que tu veux, n'est-ce pas ? s'écria Prue, en regardant Charlotte tandis qu'elle allait d'un mort à l'autre, les secouant tel un montreur de marionnettes devenu fou. »

L'un après l'autre, les morts devinrent visibles, dans toute leur horreur : couverts de sang, mutilés, dans un état de décomposition avancé. Ils découvrirent alors leurs reflets dans les glaces du train fantôme et, pour la première fois, la réalité de leur mort les frappa.

– Prue ! NON ! hurla Charlotte dans un cri d'outre-tombe, tombant à genoux devant elle, le corps tout entier secoué de sanglots.

Les vivants, stupéfaits, crurent tout d'abord qu'il s'agissait du bouquet final de la visite ; mais, à mesure que les morts se mettaient à pleurer et à gémir, souffrant de ce qu'ils voyaient dans le miroir, ils comprirent que cela n'avait rien de normal. Ils se mirent alors à trembler de tous leurs membres, affolés.

– Ne leur fais pas ça, arrête !

– Moi ? C'est toi qui diriges les opérations, rappelle-toi ! hurla Prue. C'est ainsi qu'on se souviendra d'eux, grâce à toi !

– Mais pourquoi ? Qu'est-ce que je t'ai fait pour que tu m'en veuilles à ce point-là ?

– Tu aurais pu nous aider à garder la maison et à sauver nos âmes… Au lieu de ça, tu n'as pensé qu'à toi, à ta misérable petite personne ! Et maintenant, tout est fini, par ta faute !

– Prue, s'il te plaît, non…

Charlotte la suppliait, essayant de gagner du temps pour permettre aux vivants de s'enfuir. Mais Prue ne voulait rien entendre. Elle était déterminée à causer le plus de dégâts possible.

– Ce bal est un désastre. Maintenant, rien ne pourra plus le sauver ! Et, grâce à toi, rien ne pourra plus nous sauver non plus…

La panique se répandit sur la piste de danse comme une traînée de poudre, à l'instant où les élèves déboulaient du train fantôme en hurlant, pour échapper aux visions atroces qui leur étaient apparues dans le noir.

❧

Scarlet se fraya un chemin à travers la foule, fonçant vers la maison hantée pour arriver à l'instant même où la confrontation entre Charlotte et Prue s'intensifiait. Damen la suivait, retenu quelques pas en arrière par des élèves qui l'enjoignaient à faire demi-tour. Dans la précipitation, il perdit Scarlet de vue.

Scarlet savait que Charlotte avait échangé les rôles dans le but de la sauver : elle voulait maintenant lui rendre la pareille. Mais comment ?

– Charlotte ! appela-t-elle en fonçant dans les couloirs du train fantôme, attirant l'attention des deux adversaires.

– Scarlet! s'écria son amie, tant pour l'avertir du danger que pour accueillir son geste.

Prue s'élança alors vers l'entrée, suivie de près par Charlotte.

Levant les yeux, Scarlet aperçut les élèves morts qu'elle avait déjà vus, la première fois qu'elle s'était rendue au manoir des Aubépines : leurs corps décomposés flottaient dans les airs, et ils poussaient des cris à fendre l'âme, aussi perçants et angoissants que la sirène d'une ambulance.

Effrayée, mais incapable de détourner le regard, Scarlet prit conscience d'une chose qui ne l'avait jamais effleurée jusqu'alors. S'habiller, se vernir les ongles de noir, porter des chaussures à semelles de crêpe et autres fripes dénichées dans les greniers, écouter d'obscurs groupes de rock indépendant, lire des œuvres de poètes maudits, elle adorait. La mort, le glauque, elle les cultivait : c'était sa façon de se démarquer. Sa façon de signifier à la Terre entière qu'elle n'était pas l'une de ces petites pétasses de filles à papa qui ne faisaient qu'attendre qu'un beau garçon les invite à une soirée. Pour eux, en revanche, il ne s'agissait pas simplement d'exprimer leur dégoût face à la bêtise de leurs semblables. Non, chez eux, c'était une réalité. La leur.

– T'aimerais te joindre à eux ? lui demanda Prue en désignant les morts, avant de tourner son regard vers les échafaudages et les rampes de lumières.

Déjà le gréement commençait à lâcher.

Damen se précipita sur Scarlet comme il pénétrait dans la maison hantée. Charlotte arrivait juste à temps pour assister, impuissante, au sort affreux qui semblait attendre ses amis.

– Damen, attention ! hurla Scarlet.

Trop tard. L'échafaudage s'écrasa sur lui avant qu'il n'ait pu réagir : Damen se retrouva étouffé sous des tonnes de métal, de débris de verre et de bois, aux côtés de Scarlet

qui ne pouvait plus bouger ses jambes, tandis qu'au-dessus de leurs têtes, un nouveau pan de l'installation menaçait de s'effondrer.

– Je sais pourquoi elle fait ça ! s'écria Scarlet à l'intention de Charlotte, espérant l'aider à vaincre son ennemie. J'ai trouvé des trucs sur Internet au sujet de sa mort, reprit la jeune fille, à bout de souffle. Elle est morte dans un accident de voiture. C'était le fils d'un notable. Un athlète de haut niveau. Un bagarreur, toujours fourré dans de sales histoires. Tout le monde l'avait avertie de ne pas le fréquenter, mais elle n'a rien voulu entendre.

L'esprit de Charlotte s'emballait.

– Ils allaient au bal, continua Scarlet. Ce même bal, là, celui de l'Automne. Les choses ont dû mal tourner, il l'a laissée sur le bord de la route et elle s'est fait écraser.

– Prue ! hurla alors Charlotte, comprenant soudain ce qui se jouait là. Damen n'est pas comme les autres ! Il est différent !

Hélas, Prue n'était pas d'humeur à se soumettre à ce type de thérapie.

– Tu ne comprends pas. Cela n'a rien à voir avec lui ! fit-elle en dévisageant Charlotte avec le plus profond mépris. Tu nous as tous condamnés, pour le seul plaisir de l'avoir rien qu'à toi ! Tu t'es moquée de notre maison, avec ce bal ridicule, et de nos espoirs de nous libérer de notre condition !

– Je ne l'ai même pas embrassé ! s'exclama Charlotte, hors d'elle. Tu avais raison, ce n'est pas moi, l'Élue !

Cet aveu étonna Prue.

– Et pourquoi devrais-je te croire ?

Mais son expression changea du tout au tout : d'amère, elle se montra soudain soulagée.

– Quoi ? fit Charlotte.

– Je... Je me suis peut-être trompée, en fin de compte...

– Trompée?

– Je pensais que le seul moyen de sauver la maison, de nous sauver tous, était de t'empêcher d'aller à ce bal.

– Ah, ça, pas de bal, pas de baiser, marmonna Scarlet dans sa barbe.

– Mais je me rends compte que je n'avais pas besoin de faire tout ça, en fait…

– Ah bon? s'emporta Charlotte, de plus en plus furieuse.

– Oui. Ce n'est pas moi qui ai empêché ce baiser. Tu as agi de ton propre chef, dit Prue, reconnaissant le désintéressement de Charlotte dans l'histoire. Tu as compris qui tu étais. Où était ton camp.

– Au moment de l'embrasser, c'est vrai, admit Charlotte, relâchant ses épaules, j'ai senti qu'il ne fallait pas. Que c'était mal, en quelque sorte.

– Tu as fait tout ce chemin pour nous, Usher, souligna Prue. Tu n'es pas si stupide, finalement.

24

Que son nom soit populaire

Inutile de pleurer,
Quand bien même nous serions condamnés
à nous quitter ;
Car il n'y a rien de tel
Que de garder un souvenir dans son cœur.

Charlotte Brontë.

Où ça finit pour moi, et où ça commence pour toi?

Nous sommes poussés par nos désirs, nos besoins, nos espoirs, nos rêves. Lorsque ceux-ci s'envolent, nous disparaissons avec eux. Notre réussite ou bien notre échec dans la vie se mesure à ce qu'on laisse derrière soi, aussi bien qu'à ce qu'on emporte avec soi. Charlotte avait longtemps souffert d'un mal plus puissant encore que celui de la mort : l'amour. Elle avait appris, avec un peu d'aide, à lâcher prise. Elle avait abandonné sa vie, son amour, pour s'autoriser enfin à partir, et ainsi, pour la première fois, elle s'était trouvée elle-même.

amen revint lentement à lui. Il n'avait aucun souvenir de ce qui s'était passé.

– J'ai cru que j'étais mort, souffla-t-il à Scarlet, qui lui caressait doucement le visage.

– Ne dis pas de bêtises. Tu as tellement de choses à accomplir dans ta vie! Comme moi.

Elle l'aida à se relever; ils s'époussetèrent, puis repartirent vers la salle de bal.

Le changement de ton de Prue à l'égard de Charlotte eut un effet apaisant, presque narcotique, sur tout le monde. Les morts, heureux de cette trêve entre les deux jeunes filles, disparurent aussitôt. Les vivants revinrent à eux et quittèrent les couloirs du train fantôme, un peu étourdis, ne sachant s'ils avaient rêvé ou bien s'ils avaient pris de la drogue.

– Ouah! L'éclate! Jamais vu un truc pareil! s'exclama un élève.

Jamais personne n'avait rien vu de pareil, en effet.

– Les élèves du club d'art plastique se sont dépassés, cette année, c'est certain, souligna le proviseur dans le micro, tandis que ses propos étaient accueillis par quelques applaudissements dans la salle. Eh bien, pas facile d'enchaîner après ces réjouissances, hein? Alors, que diriez-vous d'élire maintenant le couple royal?

Tout le monde se rassembla devant l'estrade, à l'exception de Pétula, entrée en douce pendant le tumulte provoqué par la chute de l'échafaudage. Elle se tenait maintenant en retrait de la piste de danse, dans l'ombre.

– Cette année, le roi et la reine du bal sont..., reprit le proviseur en décachetant l'enveloppe du scrutin devant tous les élèves. Damen Dylan et Scarlet Kensington!

Damen et Scarlet, entendant leurs noms comme ils sortaient du train fantôme, eurent bien du mal à y croire, tant leur esprit était ailleurs.

– Dis donc, vous avez dû sacrément vous la donner! Jamais vu une maison trembler comme ça! s'esclaffa Max en voyant arriver son ami qui tirait sur sa chemise pour la défroisser, tandis que Scarlet remettait en place le corset de sa robe.

Damen se retourna vers Max et lui donna une tape sur le haut du crâne. Alors, riant et plaisantant, les membres de l'équipe de football tout entière portèrent Damen en triomphe jusqu'à la scène.

Scarlet monta les marches de l'estrade, cherchant désespérément Charlotte du regard. Soudain, l'apercevant en coulisses, elle courut la rejoindre. Les deux jeunes filles se retrouvèrent nez à nez, silencieuses. Après un moment, Scarlet leva les mains pour toucher celles de Charlotte, prête à se soumettre une dernière fois à leur petit rituel de possession. Mais Charlotte, contrairement à son habitude, prit Scarlet dans ses bras.

– Qu'est-ce qui te prend?

– J'ai fait mon choix. Je ne peux pas éternellement vivre à travers toi.

Comme on allait tirer le rideau pour laisser place aux musiciens de l'orchestre, Scarlet et Charlotte s'éloignèrent, bras dessus, bras dessous.

– Je n'ai jamais compris pourquoi tu cherchais tellement à t'intégrer, alors que tu étais manifestement appelée à rester en marge, dit Scarlet à son amie. Mais... et la résolution de ton problème ? Tu m'as laissée recevoir ton baiser... C'est à toi que revient la couronne !

– Ce n'était pas mon baiser, répondit Charlotte en poussant gentiment son amie devant elle aux côtés de Damen sur l'estrade.

Mais Pétula escaladait la scène, armée d'un énorme diffuseur d'autobronzant qu'elle pointa en direction de sa sœur.

– Vas-y, mets le turbo ! s'écrièrent en chœur les deux Wendy.

– C'est parti ! hurla Pétula en appuyant sur la bombe d'autobronzant.

Prue, qui avait reparu dans la salle de bal, vit ce que Pétula s'apprêtait à faire. Elle se jeta sur cette dernière pour détourner son bras. Pétula, effrayée, poussa un cri perçant et, surprise, visa Charlotte de son jet. La pluie de gouttelettes, en tombant, la fit apparaître aux yeux de tous les élèves de l'école. Un silence de mort s'abattit sur l'assemblée.

– Hé ! C'est la fille qui s'est étouffée au début de l'année ! s'écria un garçon au fond de la salle.

Pétula se mit à hurler de toutes ses forces. Ses poils se dressèrent sous l'effet de la panique, y compris ceux, décolorés, de sa moustache. Un vigile, dont les services avaient été loués pour la soirée, s'approcha pour l'emmener se calmer dehors. À sa grande surprise, Pétula se jeta dans ses bras en l'apercevant.

– Au secours ! Je suis cernée par des nazes ! répéta-t-elle en boucle comme il la conduisait dans le jardin.

Là, les photographes attendaient le couple royal pour la photo souvenir de l'année. Les flashes se déclenchèrent à leur apparition sur le perron du manoir. Cette fois, ce ne serait pas son portrait triomphal qu'on tirerait en première page du journal, mais le cliché de sa sortie, escortée d'un vigile, telle une dangereuse criminelle en pleine crise d'hystérie qu'on conduisait en prison à l'issue de son procès.

La panique commençait à se répandre dans l'assemblée. Déjà quelques élèves tentaient de sortir de la salle à reculons.

– Est-ce que ça fait partie des animations du train fantôme ? demanda une élève dans les premiers rangs.

– Attendez ! dit Scarlet. N'ayez pas peur. C'est grâce à elle que ce bal a pu avoir lieu ici même, ce soir !

Tous s'immobilisèrent, regardant Charlotte sans comprendre.

– N'ayez pas peur, je vous dis. C'est elle qui est à l'origine de tout… Tout !» Scarlet se retourna vers Damen pour tout lui raconter dans les détails. «Tu te souviens, quand tu disais que tu avais l'impression qu'il y avait deux personnes en moi ? Eh bien, tu avais raison. Je comprendrais totalement, tu sais, si tu ne voulais plus me parler.»

Damen considéra quelques instants Scarlet d'un air abasourdi, puis, sans prononcer une parole, se retourna vers Charlotte. Celle-ci baissa la tête, ne sachant à quoi s'attendre. Il resta planté devant elle un temps qui lui parut une éternité. Puis, tout doucement, il approcha sa main de son menton, comme s'il voulait le soulever. Charlotte leva lentement les yeux vers lui.

– Hé, mais je me souviens de toi, dit-il en lui prenant la main pour la conduire au centre de l'estrade.

– Ceci t'appartient, dit Scarlet en déposant sa couronne sur le front de son amie, après avoir écarté les mèches de cheveux qui la gênaient.

– Tu n'es pas obligée de faire ça…

– Je ne fais que te rendre ce qui t'appartient. Elle te revient, insista Scarlet.

– C'est vrai, ajouta Damen. Terminé, les petits échanges en douce !

Scarlet et Charlotte frémirent au ton sévère qu'il avait employé.

– Oui, maintenant, je te garde pour moi ! s'exclama-t-il en lançant une œillade tendre à Scarlet. Merci pour ton aide, dit-il ensuite à Charlotte avant de se pencher pour déposer un baiser sur sa joue.

Ses lèvres étaient douces, et son geste d'une bonté infinie. Charlotte ferma les yeux, voulant profiter de chaque seconde de cet instant magique. C'était bien plus beau que tout ce qu'elle avait pu imaginer. Bien plus beau, et bien plus fort encore.

– Tu as raison, il n'est pas comme les autres, dit Prue à Charlotte comme celle-ci s'élevait au-dessus de la foule, étincelante.

Sa robe devint alors celle de ses rêves, celle en mousseline de soie gris perle qu'elle portait sur son fond d'écran. Elle était magnifique.

Un tonnerre d'applaudissements retentit, grondant toujours plus fort à mesure que l'admiration chassait la peur et l'incrédulité.

Les morts, qui suivaient eux aussi la scène du couronnement, devinrent visibles à leur tour, portant cette fois les toges et les chapeaux de la cérémonie de remise des diplômes. Chacun avait retrouvé son ancien visage. Leur chair n'était plus décomposée. Le collier Chanel de Coco, noir de sang, s'était transformé en un magnifique tour de cou en or.

– C'est une résolutionnaire ! s'exclama Piccolo Pam, sincèrement heureuse du triomphe fait à Charlotte.

L'étrange vibration avait disparu dans sa voix.

DJ se précipita vers les platines et se mit à passer des disques pour faire danser la foule. Suzy sautait dans tous les sens, secouant bras et jambes, ravie de voir qu'elle n'avait plus aucune cicatrice sur la peau.

– Hé, du calme, fit Mike à la grande surprise de DJ et de Suzy.

Il était guéri, lui aussi : son obsession du bruit et de la vitesse l'avait enfin quitté.

Alors tous se mirent à crier leur joie, y compris Violette la Muette, qui en écarquilla les yeux d'étonnement. Elle porta la main à sa gorge, incrédule. Elle avait retrouvé sa voix !

– Je promets de ne plus jamais répandre le moindre commérage…

Pam et les autres étaient émerveillés ; ils commençaient à comprendre que, grâce au chemin qu'elle avait parcouru, depuis son entêtement jusqu'au renoncement, Charlotte leur offrait la chance d'être vus pour ce qu'ils étaient, enfin.

Faussement timide, une jeune fille très en vue du lycée s'approcha de Jerry Tête de Mort pour l'inviter à danser. L'esprit tout à fait clair désormais, il savourait cette nouvelle confiance qu'il sentait grandir en lui.

– Tu sais ce qu'on dit ? Une fois mort, on n'a plus de problème avec son corps…, murmura-t-il à Mike avant de s'avancer sur la piste de danse.

– Prie pour nous, Charlotte ! s'écria Wendy Thomas dans le public, tandis qu'elle se signait, ne voulant surtout pas perdre cette chance de tirer profit d'un tel miracle.

– Ce n'est pas parce qu'elle est morte que c'est forcément une sainte, la rembarra Wendy Anderson. Et toi, ce n'est pas parce que tu fais partie de l'équipe des pom-pom girls que tu es forcément une traînée !

À ces mots, elles se regardèrent, prenant soudain conscience que toutes les pom-pom girls des Aubépines étaient effectivement des traînées.

– Oui, prie pour nous, Charlotte! supplia alors Wendy Anderson.

«Voilà donc ce que ça fait d'être populaire», se disait Charlotte tandis qu'elle flottait, ravie, à quelques centimètres au-dessus de la scène. Elle sourit : une nouvelle salve d'applaudissements retentit.

– Bravo, l'Apparition! s'exclama Prue, saluant sa nouvelle amie.

– Hé, ça y est, je l'ai, mon nom de morte! répondit Charlotte.

– Et moi, ma danse, murmura Prue en levant légèrement les yeux au ciel, tandis qu'elle se blottissait contre Max. Finalement, c'était bien toi, l'Élue…

– Ouais, mais je n'aurais jamais pu y arriver sans vous tous. Ni sans toi, ajouta-t-elle en se tournant vers Scarlet.

– Bravo à toute l'équipe, alors!», reprit celle-ci. Puis, se penchant pour admirer la couleur dorée de Charlotte : «Ce qu'il faudrait qu'on m'explique, en revanche, c'est comment ce stupide autobronzant a fait pour te rendre visible…

– Ce n'est pas l'autobronzant…

– Quoi, alors? Je ne comprends pas.

– C'est parce que j'étais prête à me montrer MOI, pour ce que je suis au fond, expliqua Charlotte en prenant son amie dans ses bras.

Scarlet pressentit à cet instant qu'elle ne verrait bientôt plus Charlotte, et qu'il était temps de se dire adieu. Une larme vint rouler le long de sa joue, pour s'écraser contre celle de Charlotte.

– À moi l'autobronzant, à toi la danse! dit Charlotte en poussant Scarlet dans les bras de Damen sur la piste.

Tous les deux se mirent alors à bouger au rythme de la musique, plantés l'un en face de l'autre. Un peu gênés au début, mais bientôt très à l'aise.

Charlotte sentait en elle un grand calme intérieur, comme si elle était en parfait accord avec le monde alentour. Elle avait le sentiment d'un travail accompli. Oui, il était temps de s'en aller, à présent. Si l'idée de quitter Scarlet lui brisait le cœur, elle ne pouvait s'empêcher de sourire en regardant les danseurs sur la piste. Elle était de nouveau à l'écart, tout comme en classe de physique. Mais cette fois, cela n'avait plus aucune importance.

C'est alors qu'un très beau garçon (un peu ridicule dans son costume noir qui lui donnait l'air d'arriver tout droit de son propre enterrement) apparut aux côtés de Charlotte. Il portait une étiquette autour du poignet, comme Charlotte le jour de sa mort.

– Comment tu t'appelles ? lui demanda-t-elle.

– Heu, je ne sais pas, je ne suis pas vraiment sûr… Mais tu veux danser ?

– Oui, volontiers !

Tout en lui prenant le bras, Charlotte tenta de le rassurer. Elle lui dit que tout irait bien, et qu'elle lui expliquerait tout en temps voulu. Mais, pour l'instant, ce qu'elle voulait, c'était danser. Simplement danser.

– Regarde-moi ça, s'exclama Damen en jetant un coup d'œil à Charlotte. Elle est déjà passée à autre chose !

– Hé ! Tu serais pas jaloux, par hasard ?

Damen serra alors Scarlet plus fort contre son corps, et déposa un tendre baiser sur sa joue.

Interrompant la dernière danse de Charlotte, M. Cerveau fit son apparition, tenant entre ses mains une toque de cérémonie. Charlotte devina aussitôt que l'heure était venue pour elle comme pour les autres de s'en aller.

– Tu vas avoir besoin de ça, maintenant, lui dit-il en ôtant la couronne de son front pour l'échanger contre la toque. Grâce à toi, nous allons *tous* en avoir besoin.

Charlotte leva des yeux pleins d'admiration vers M. Cerveau, remarquant alors sa belle toison de cheveux argentés. Il n'avait plus de toupet ni de plaie apparente : on ne voyait plus son cerveau, désormais.

– Félicitations, Charlotte Usher! Vous avez gagné le droit de passer de l'autre côté!

Aussitôt, l'une des ampoules de la rampe d'éclairage s'alluma au-dessus de la piste de danse, brillant si fort que la lumière en devint presque aveuglante. C'était comme si une étoile était entrée dans la pièce, par l'une des fenêtres, et qu'elle brûlait là, sous leurs yeux. Sa blancheur était d'une pureté sans pareille. Prue saisit la main de Pam dans la sienne, et toutes deux se tournèrent vers la source de lumière, le visage rayonnant de joie, impatientes. Tous les morts se joignirent bientôt à elles, main dans la main, en rang.

– Je n'arrive déjà plus à la voir!

Damen serra Scarlet dans ses bras. Elle avait le cœur gros.

– Ne pleure pas, ce n'est pas une fin. Réjouis-toi au contraire, c'est une libération pour elle!

Scarlet demeura sans rien dire, lui exprimant seulement sa reconnaissance par un sourire ému.

Tandis que Damen s'occupait de réconforter Scarlet, Charlotte courut rejoindre Piccolo Pam.

– Prête? lui demanda cette dernière.

– Prête, Piccolo Pam!

– Pam, tout court, la reprit-elle avec gratitude.

Cerveau en début de file, ils s'avancèrent un à un en direction de la lumière, par ordre de leur arrivée dans la classe des Morts. Prue venait la première, Charlotte fermait

la marche. Lorsque vint son tour, elle se retourna, satisfaite, et ôta sa toque pour la lancer dans les airs, avant de disparaître dans le faisceau accueillant de lumière.

Comme ça.

Scarlet leva les yeux et aperçut l'ombre de la toque qui flottait au plafond. Charlotte lui adressait là un signe : tout allait mieux pour elle, désormais.

Un peu comme elle.

La lumière
au bout du tunnel

Les rêves finissent toujours par se réaliser.
Pas forcément dans la vie,
mais un beau jour viendra…

gg.

Nous aimons à croire que le monde s'arrête avec nous.

La vérité est au contraire que nos connaissances, nos amis, les êtres que nous aimons continuent de vivre, de même que nous survivons à travers eux. La question n'est pas de savoir ce que nous avons eu, mais ce que nous avons donné. Ce qui compte n'est pas de paraître, mais plutôt de vivre. Tout comme il ne s'agit pas seulement de laisser un bon souvenir. Mais plutôt de donner aux autres une raison valable de ne jamais nous oublier.

a neige, précoce cette année, tombait derrière les vitres teintées, recouvrant tout de blanc, du sol gelé jusqu'aux branches nues des arbres. L'on avait peine à croire qu'une saison entière était passée depuis cette fameuse nuit où tout avait basculé. Le souvenir de ce bal qui avait vu couronner l'une des célébrités du lycée des Aubépines restait gravé dans les mémoires comme l'un des moments les plus forts de l'histoire de la ville.

Comme dans le jeu du téléphone arabe, les détails de cette soirée avaient changé au fur et à mesure que passaient les jours, puis les semaines, chacun ajoutant sa petite touche personnelle, si bien que l'histoire de Charlotte Usher avait fini par entrer dans la légende.

Le manoir autrefois menacé de destruction avait été rénové. Aujourd'hui, la salle de bal, théâtre des événements de ce soir-là, était devenue un café branché, avec ses banquettes dorées aux coussins en panne de velours, ses grandes toiles impressionnantes et ses photographies provocantes en noir et blanc, ses draperies murales et ses lustres somptueux. Il y avait, outre les tables et les chaises dispersées dans la salle, des petites cabines privées où l'on pouvait savourer un verre dans l'intimité.

Les deux Wendy avaient pris place sur leur banquette de velours moutarde, vêtues de robes gothiques du plus bel effet.

– J'adore cet endroit, dit Wendy Anderson en parcourant la salle du regard.

– Ouais, je suis contente qu'ils aient utilisé l'argent récolté durant le bal pour le restaurer, reprit Wendy Thomas, apercevant alors Pétula qui desservait une table, non loin de là. Pas vrai ?

– Au fait, Pétula, s'esclaffa alors Wendy Anderson, combien de temps il te reste à tirer, en travaux d'intérêt général ?

– Ah, ah, très drôle !

– Bien sûr, que c'est drôle, puisqu'on le dit ! rétorquèrent les deux Wendy, laissant Pétula à son misérable sort.

Derrière le magnifique comptoir, Scarlet, vêtue d'un gilet noir sur un chemisier de dentelle et un pantalon noir ajusté, protégé par un tablier qu'elle avait taillé dans un vieux rideau des années cinquante, préparait cappuccinos, espressos et tout un assortiment de thés exotiques.

Les spécialités étaient présentées au tableau noir, à côté duquel trônait une affiche pour la prochaine séance du ciné-club, où l'on jouerait ce samedi *Delicatessen*. Sam Wolfe était assis au comptoir, plongé dans sa lecture du *Wall Street Journal*. Il semblait parfaitement normal, très à son aise au milieu des gens, maintenant.

Sam allait reposer son journal lorsqu'un élève très en vue du lycée s'approcha de lui. Aussitôt, il retrouva son air lent et soumis, proposant un café au nouvel arrivant.

– Paye-moi un liégeois à la crème allégée, si ça te chante, fit le garçon sur un ton méprisant.

– Chaque fois ça m'impressionne, ton petit numéro, glissa en douce Scarlet à Sam. Mais pourquoi tu joues toujours à te faire passer pour ce que tu n'es pas ?

– J'y peux rien, cette image de débile m'a collé à la peau tellement longtemps que j'ai du mal à m'en défaire ! C'est dur, tu sais, d'arriver à se faire accepter tel qu'on est..., répondit Sam avec un grand sourire, comme il s'affairait pour préparer la commande du client.

Scarlet, à la fois admirative et peinée, lança à Sam son torchon pour rigoler. Mais, quand il s'approcha de la table du garçon, la tasse brûlante lui échappa comme par hasard des mains, pour atterrir sur les cuisses du client qui se mit à hurler de douleur avant de courir se réfugier aux toilettes pour ôter son pantalon.

– Chat-bite ! lança Sam, comme habité par un démon farceur.

– Toi, t'es mort ! hurla le client du fond des toilettes.

– Non, c'est moi ! murmura une voix aux oreilles de Scarlet.

Scarlet devina aussitôt qui venait de lui glisser cette phrase en secret. Elle sourit au moment où Damen entrait dans le café.

– Qu'est-ce qu'il y a de drôle ? demanda-t-il.

– Rien, dit-elle, en repassant devant le comptoir pour aller l'embrasser. Comme elle le serrait dans ses bras, elle leva les yeux vers l'inscription qu'elle avait peinte au-dessus de la porte, en souvenir de Charlotte.

Les amis sont tels des étoiles : s'ils s'éteignent, leur lumière ne disparaît jamais tout à fait.

– Ça faisait trop longtemps, soupira-t-elle à l'intention des... deux personnes qu'elle chérissait le plus.

Puis elle déposa sur les lèvres de Damen un baiser. Mortel.

FIN ?

Remerciements

À mon amour, Michael Pagnotta. Dieu sait ce que je serais sans toi !

Je tiens à remercier tout particulièrement ma mère, Beverly Hurley, qui a su repérer en moi l'écrivain, bien avant que j'en prenne conscience, et ma sœur jumelle Tracy Hurley Martin, qui est aussi ma meilleure amie – ses encouragements et son soutien indéfectible ont rendu possible l'écriture de ce roman. Mes remerciements aussi à mes grands-parents, Anthony et Martha Kolencik – qu'ils reposent en paix en attendant nos retrouvailles –, ainsi qu'à Mary Nemchik, Tom Hurley, Mary Pagnotta et Vincent Martin.

Je tiens à exprimer ma plus profonde gratitude à tous ceux qui m'ont aidée à mettre au monde ce roman : Nancy Conescu, Craig Phillips, Megan Tingley, Hardy Justice, Jane Rosenthal, Lawrence Mattis, Andy McNicol, Chuck Googe Jr., Zack Zeiler, Andrew Smith, Tina McIntyre, Lisa Laginestra, Andrea Spooner, Christine Cuccio, Van Partible, Stephanie Voros, Alison Impey, Jonathan Lopes, Shawn Foster et Chris Murphy.

À tous ceux qu'on ne remarque jamais : «Un jour, vous connaîtrez l'amour. »

Table

www.ghostgirl.fr

Tout l'univers de

Ghostgirl

avec :

des jeux, des quizz, des vidéos !

NORD COMPO.

Achevé d'imprimer en septembre 2008
par Normandie Roto Impression s.a.s.
61250 Lonrai

Dépôt légal : septembre 2008.
N° d'impression : 083042.
N° d'édition : 14359.
Imprimé en France